O TARÔ MITOLÓGICO

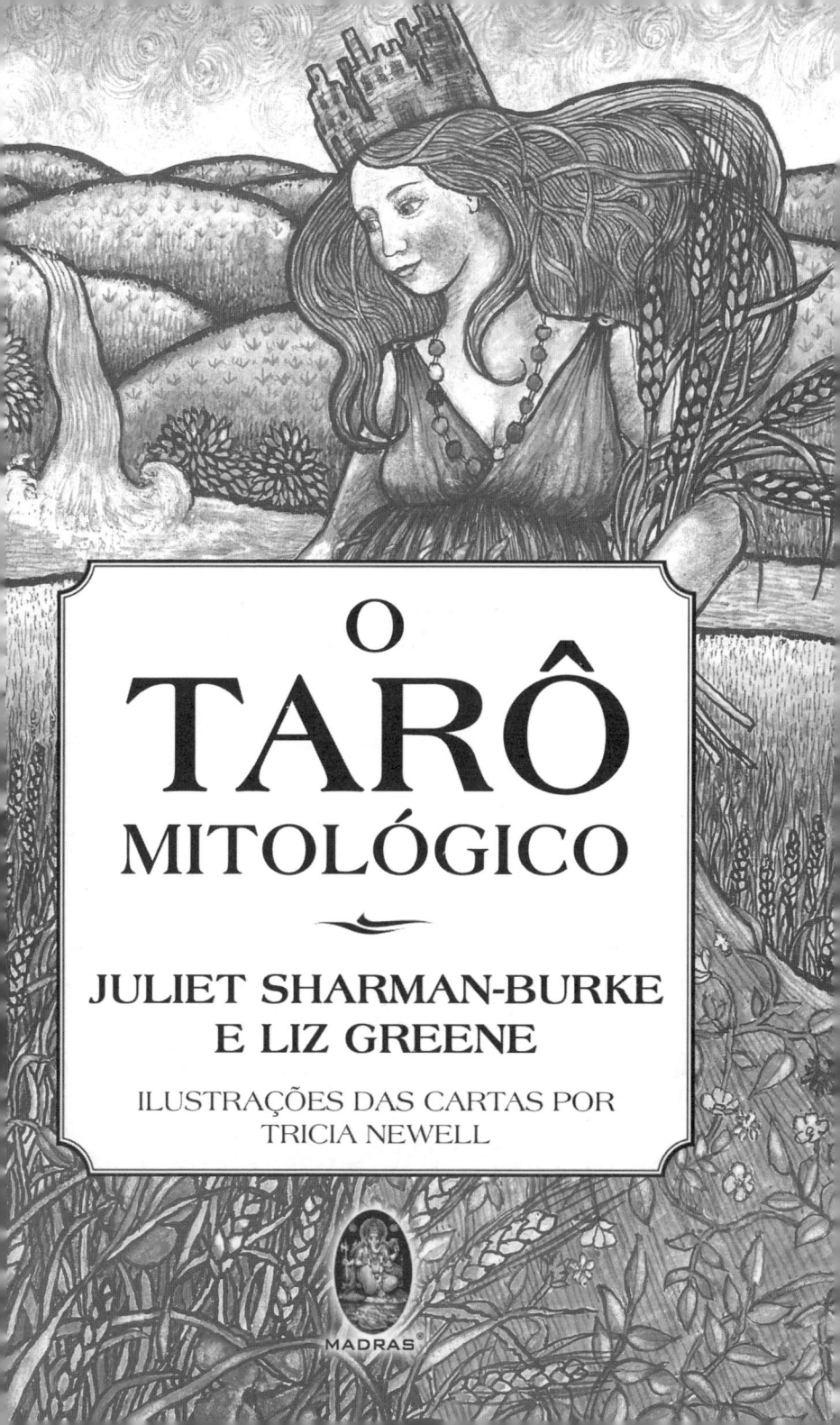

O TARÔ MITOLÓGICO

JULIET SHARMAN-BURKE
E LIZ GREENE

ILUSTRAÇÕES DAS CARTAS POR
TRICIA NEWELL

Publicado originalmente em inglês sob o título *The Mythic Tarot* por Eddison Sadd Editions Limited.
© 1986, Eddison Sadd Editions Limited.
© 1986, Juliet Sharman - Burke and Liz Greene (texto).
© 1986, Tricia Newell (ilustrações).
Direitos de edição e tradução para todos os países de língua portuguesa.
Tradução autorizada do inglês.
© 2023 Madras Editora Ltda.

Editor:
Wagner Veneziani Costa *(in memoriam)*

Produção e Capa:
Equipe Técnica Madras

Tradução
Fulvio Lubisco

Revisão:
Silvia Massimini
Maria Cristina Scomparimi
Luciane Helena Gomide

CIP-BRASIL. CATALOGAÇÃO-NA-FONTE
SINDICATO NACIONAL DOS EDITORES DE LIVRO, RJ

S541t
Sharman-Burke, Juliet
O tarô mitológico / Juliet Sharman Burke e Liz Greene ; tradução Fulvio Lubisco; [cartas ilustradas por Tricia Newell]. - São Paulo : Madras, 2023.
 il. + cartas
Tradução de: The mythic tarot
Inclui bibliografia
ISBN 978-85-370-0168-4
1. Tarô. I. Greene, Liz, 1946-. II. Título.
07-0123.   CDD: 133.32424
                                                                                                      CDU: 133.3:794.45
15.01.07   19.01.07   000125

Proibida a reprodução total ou parcial desta obra, de qualquer forma ou por qualquer meio eletrônico, mecânico, inclusive por meio de processos xerográficos, incluindo ainda o uso da Internet, sem a permissão expressa da Madras Editora, na pessoa de seu editor (Lei nº 9.610, de 19/02/1998).

Todos os direitos desta edição, em língua portuguesa, reservados pela

MADRAS EDITORA LTDA.
Rua Paulo Gonçalves, 88 – Santana
CEP: 02403-020 – São Paulo/SP
Tel.: (11) 2281-5555 — 📞 (11) 98128-7754
www.madras.com.br

*Para Emily Kate com amor.
Para Alois, que reúne em si as
melhores qualidades dos Reis de
Copas e Ouros, com amor.*

*Os autores agradecem a ajuda e o incentivo proporcionados por Barbara Levy durante o trabalho deste projeto. Eddison/Sadd Editions reconhecem as contribuições das seguintes pessoas:
Ian Jackson — Diretor de Edição
Nick Eddison — Diretor de Criação
Jocelyn Selson — Copiadora e Revisora
Amanda Barlow — Desenhista*

ÍNDICE

INTRODUÇÃO

AS ORIGENS DAS CARTAS DE TARÔ 13
O TARÔ MITOLÓGICO 18

OS ARCANOS MAIORES

O LOUCO 29
O MAGO 32
A IMPERATRIZ 35
O IMPERADOR 38
A SACERDOTISA 41
O HIEROFANTE 44
OS NAMORADOS 48
O CARRO 51
A JUSTIÇA 55
A TEMPERANÇA 59
A FORÇA 63
O EREMITA 67
A RODA DA FORTUNA 71
O ENFORCADO 75
A MORTE 79
O DIABO 83
A TORRE 87
A ESTRELA 91
A LUA 95
O SOL 99
O JULGAMENTO 103
O MUNDO 107

OS ARCANOS MENORES

OS QUATRO NAIPES 111

O NAIPE DE COPAS

AS CARTAS NUMERADAS 117
O ÁS DE COPAS 120

ÍNDICE

O DOIS DE COPAS 121
O TRÊS DE COPAS 122
O QUATRO DE COPAS 124
O CINCO DE COPAS 125
O SEIS DE COPAS 126
O SETE DE COPAS 128
O OITO DE COPAS 129
O NOVE DE COPAS 130
O DEZ DE COPAS 131
AS CARTAS DA CORTE 133
O PAJEM DE COPAS 133
O CAVALEIRO DE COPAS 136
A RAINHA DE COPAS 139
O REI DE COPAS 141

O NAIPE DE PAUS

AS CARTAS NUMERADAS 145
O ÁS DE PAUS 149
O DOIS DE PAUS 150
O TRÊS DE PAUS 151
O QUATRO DE PAUS 153
O CINCO DE PAUS 154
O SEIS DE PAUS 155
O SETE DE PAUS 156
O OITO DE PAUS 158
O NOVE DE PAUS 159
O DEZ DE PAUS 160
AS CARTAS DA CORTE 163
O PAJEM DE PAUS 163
O CAVALEIRO DE PAUS 166
A RAINHA DE PAUS 168
O REI DE PAUS 171

ÍNDICE

O NAIPE DE ESPADAS

AS CARTAS NUMERADAS 175
O ÁS DE ESPADAS 179
O DOIS DE ESPADAS.. 180
O TRÊS DE ESPADAS 182
O QUATRO DE ESPADAS...................................... 183
O CINCO DE ESPADAS 184
O SEIS DE ESPADAS 186
O SETE DE ESPADAS 187
O OITO DE ESPADAS 188
O NOVE DE ESPADAS 190
O DEZ DE ESPADAS 191
AS CARTAS DA CORTE 193
O PAJEM DE ESPADAS 193
O CAVALEIRO DE ESPADAS 196
A RAINHA DE ESPADAS 198
O REI DE ESPADAS 201

O NAIPE DE OUROS

AS CARTAS NUMERADAS 205
O ÁS DE OUROS 209
O DOIS DE OUROS 210
O TRÊS DE OUROS 211
O QUATRO DE OUROS 213
O CINCO DE OUROS.. 215
O SEIS DE OUROS.. 216
O SETE DE OUROS 217
O OITO DE OUROS... 219
O NOVE DE OUROS.. 220
O DEZ DE OUROS 222
AS CARTAS DA CORTE 224
O PAJEM DE OUROS.. 224
O CAVALEIRO DE OUROS 226

ÍNDICE

A RAINHA DE OUROS 229
O REI DE OUROS 231

LENDO AS CARTAS

O QUE O TARÔ PODE E NÃO PODE FAZER 235
ESTABELECENDO UM RELACIONAMENTO COM
AS CARTAS 237
PREPARANDO A DISPOSIÇÃO DE
UMA ABERTURA 238
A LEITURA DAS CARTAS 240
DOIS EXEMPLOS DE ABERTURA DE JOGOS 244
CONCLUSÃO 254

INTRODUÇÃO

As Origens das Cartas de Tarô

As origens das cartas de Tarô — quem primeiro as idealizou, quando, onde e com que objetivo — permanecem vagas e duvidosas, apesar dos inumeráveis livros e artigos que tentaram desvendar o mistério que envolve tais cartas. O encanto permanente pelas cartas de Tarô é evidenciado não somente por alguns desses escritos bem fundamentados e pesquisados e, às vezes, impressionantemente místicos, mas também pelo fascínio que exercem sobre os leigos, apesar das constantes tentativas por parte dos céticos em relegá-las a níveis inferiores de adivinhação, como a leitura de xícaras de café, bolas de cristal e outras. Ainda assim, as cartas de Tarô mantiveram a imaginação dos homens durante, pelo menos, 500 anos e possivelmente muito mais; e, sem dúvida, parece que o interesse continua o mesmo.

O que faz com que essas figuras continuem a exercer esse mágico encanto, inclusive em indivíduos que se consideram racionais e sem qualquer tendência em acreditar nos mistérios do ocultismo? A resposta pode ser, em parte, porque as cartas de Tarô não são "ocultas" — ou seja, elas não são sobrenaturais ou mágicas, no sentido em que essas palavras são geralmente usadas, e pelo fato de que não são propriedades exclusivas do iniciado esotérico, mesmo que alguns estudantes pensem que o sejam. Evidências sugerem que, em meados do século XV — época em que os estudiosos acreditam que as cartas apareceram pela primeira vez —, elas eram disponíveis a qualquer pessoa que pudesse adquiri-las e quisesse dedicar-se à sua compreensão e ao seu uso. Neste livro, a nossa intenção é restaurar a acessibilidade original desse jogo de cartas para que não seja mais de domínio exclusivo do estudioso ou do ocultista que deliberadamente mistifica o seu simbolismo.

Em diversas épocas, autores do assunto atribuíram a invenção das cartas a uma infinidade de fontes. Alguns alegam que a origem se encontra nos rituais religiosos e nos símbolos dos antigos egípcios;

INTRODUÇÃO

outros, nos cultos misteriosos de Mitra durante os primeiros séculos depois de Cristo. Ainda outros encontram paralelos com as crenças celtas pagãs ou com os ciclos da poesia romântica do Santo Graal* que teriam surgido na Europa ocidental, na época medieval. Baseados no que é possível ver e tocar em museus, estudiosos mais sérios se concentraram nas cartas de Tarô mais antigas, atualmente disponíveis, e acreditam que foram pintadas durante a Renascença. É claro que, se quisermos basear a nossa exploração das origens do Tarô em evidência comprovada, os primeiros baralhos de Tarô — aqueles que incluem tanto os quatro naipes do baralho quanto as estranhas imagens conhecidas como os Arcanos Maiores — surgiram durante a segunda metade do século XV e foram pintados na Itália. Existem dois desses baralhos: um deles é conhecido como o baralho de Carlos VI e o outro, como o baralho de Visconti-Sforza. Mas a existência desses maravilhosos baralhos de Tarô não fornece qualquer indício de certeza. Caso sejam, realmente, os primeiros a ser inventados, essa documentação não revela por que, ainda hoje, — quando deixamos para trás, há muito tempo, as crenças peculiares e a visão do mundo da Renascença —, achamos que seus símbolos e suas imagens têm a inexplicável sensação de um profundo significado. Essas lâminas parecem invocar memórias sutis e alguma associação com o mito, a lenda e o folclore e, apesar da objeção racional, alguma história ou segredo, que não podem ser totalmente formulados, nos escapam quando tentamos defini-las de maneira rígida demais.

A Renascença italiana englobou um ressurgimento do clássico pensamento grego com o seu espírito dinâmico de experimentação, aventura e empreendimento. Da triste, rígida e melancólica visão do mundo da Idade Média, o brilhante espírito animista da antiga Grécia explodiu no mundo ocidental com enorme energia e consequências incalculáveis. Manuscritos gregos — particularmente as obras de Platão, os neoplatônicos, os filósofos herméticos de Alexandria e do

---

*N.E.: Sugerimos a leitura de *Os Mistérios de Mitra*, de Franz Cumont. Ver também *A Linhagem do Santo Graal*, de Laurence Gardner, ambos Madras Editora.

INTRODUÇÃO

Oriente Médio — encontraram o caminho para o Ocidente depois do saque de Constantinopla pelos turcos em 1453. Esses manuscritos, que até então não estavam disponíveis na Europa desde que os godos invadiram Roma, chegaram a Florença em uma época na qual os governantes da cidade simpatizavam com esses escritos hereges e o novo espírito rapidamente se espalhou por causa da recente invenção da máquina de imprimir.

Esse movimento hermético neoplatônico desafiou ousadamente as crenças, que, durante muitos séculos, haviam sido consideradas sacrossantas, pois se confrontou diretamente com a autoridade da Igreja, denunciando a obediência cega aos dogmas e encorajando o desenvolvimento psicológico do indivíduo. A visão era tão pagã quanto cristã, e imagens dos deuses e deusas antigos começaram a aparecer na arte da Renascença sendo que, anteriormente, havia unicamente temas religiosos convencionais. O movimento invadiu primeiro a Europa ocidental, no exato momento em que as mais antigas cartas de Tarô, das quais temos conhecimento, eram usadas.

É preciso conhecer um pouco dessa nova visão do mundo que o hermético neoplatonismo adotava para, dessa forma, podermos entender um pouco melhor o significado das cartas do Tarô. Também poderemos ter uma ideia do motivo pelo qual o Tarô caiu em tanto descrédito a ponto de suas cartas serem associadas ao próprio trabalho do Demônio. Essencialmente, a nova visão do mundo desafiava a velha ideia medieval de que o homem era uma pobre criatura pecadora que somente podia conhecer Deus por meio de Sua única intermediária, a Igreja. "Que grandioso milagre é o homem!" tornou-se o grito da reorganização da Renascença, pois, de acordo com a nova visão, o homem era o maravilhoso cocriador no Cosmos de Deus.

O movimento hermético neoplatônico acreditava que o ser humano era, na essência, um microcosmo do Universo maior e que, portanto, o autoconhecimento — conhecimento da alma — era o único e verdadeiro caminho religioso pelo qual era possível reconectar-se com as origens divinas. É claro que o autoconhecimento foi a primeira máxima

INTRODUÇÃO

dos gregos: "Conhece-te a ti mesmo", inscrita acima do portal do templo de Apolo, em Delfos. E o conhecimento do ego significava o conhecimento dos diversos esforços e impulsos interiores do homem e da mulher, alguns sombrios e outros iluminados, assim como o conhecimento dos ciclos de desenvolvimento da vida humana.

Para a recém-despertada mente da Renascença, a multiplicidade de deuses gregos parecia uma melhor e mais autêntica analogia dos padrões complexos do Universo do que o mundo estático da Trindade, com a sua exclusiva divindade masculina e caridosa. Além disso, se o homem fosse um grande milagre e cocriador no Cosmos, então teria direito de interferir consigo mesmo e com o seu mundo, e até de melhorar a criação não tão perfeita de Deus em vez de, obediente, aceitar o seu destino de acordo com os dogmas religiosos. É óbvio que a Igreja tinha de retaliar com grande ferocidade e, eventualmente, forçar essa nova visão à marginalização durante os dois séculos seguintes.

Junto aos maravilhosos deuses de múltiplas facetas, a Renascença também adotou um método grego de abordá-los: a arte dos sistemas de memorização que fora inicialmente desenvolvida como uma espécie de chave pictórica para a meditação. Ela era utilizada quando um indivíduo queria simplesmente lembrar o texto de um discurso ou de um poema, ou desejava experimentar um sentimento de ligação da alma com o Universo maior. Tais sistemas envolviam o estudo ou a meditação sobre uma série de imagens mágicas, cada uma das quais sendo um símbolo e, por conseguinte, tendo vários níveis de significados. Um exemplo desses sistemas de memorização, ainda usados atualmente, são as Estações da Via Sacra da Igreja Católica que procuram recriar na mente e no coração do observador toda a história da vida de Cristo, de sua morte e ressurreição.

Na Renascença, os sistemas de memorização foram associados aos talismãs mágicos ou emblemas, figuras ou amuletos destinados a evocar no observador o sentido de um certo poder agindo na vida em vários níveis. O objetivo dessa meditação era formar uma espécie de escada para alcançar níveis superiores de consciência e conseguir um discernimento do mundo divino. As imagens dos deuses gregos que

INTRODUÇÃO

aparecem em pinturas, como aquelas de Botticelli e as dos primeiros baralhos de Tarô, não são meros ressurgimentos de veneração pagã. Elas eram consideradas símbolos de grandes leis agindo por toda a Criação. A meditação, com essas imagens, destinava-se à recuperação da "memória" do mundo divino da alma, elevando a consciência individual que se achava presa ao mundo trivial da matéria, e ligando a pessoa com a sua fonte verdadeira.

Naturalmente, a Igreja considerava o aparecimento dessas imagens pagãs como obra do Demônio e, energicamente, reprimiu os estudos que lidavam com esses assuntos heréticos. Até o advento da chamada Era da Iluminação, que introduziu a visão "científica" e, aparentemente, colocou um fim aos absurdos místicos dos séculos anteriores, as cartas de Tarô foram relegadas à vida sombria dos ocultistas dos séculos XVIII e XIX. Não mais acessíveis ao público e sem qualquer importância para uma visão filosófica e espiritual aceitável à sociedade, as cartas foram progressivamente manipuladas e mudadas de acordo com as crenças espirituais particulares do grupo ou da ordem que as possuísse.

Portanto, as atuais cartas de Tarô são interessantes mesclas influenciadas desde o pensamento cabalístico até as lendas arturianas, e das práticas mágicas atuais até o simbolismo rosa-cruz. Por mais interessantes que sejam, esses híbridos perderam sua universalidade original e o leitor que deseja aprender mais a respeito das cartas é, muitas vezes, confundido pelo simbolismo obscuro e, em alguns casos, pela rígida doutrina moral e espiritual que foi incutida por uma escola de pensamento particularmente esotérica.

INTRODUÇÃO

O Tarô Mitológico

Neste livro, tentamos restaurar alguma de sua simplicidade original e da acessibilidade às cartas de Tarô, redesenhando o baralho de acordo com as imagens dos deuses gregos tão caros aos artistas e autores da Renascença e que agregam os fundamentos culturais da vida ocidental. Os deuses gregos não são propriedade exclusiva de qualquer particular escola esotérica, doutrina religiosa ou caminho espiritual. Amoral e, no entanto, contendo profundas verdades morais, eles antecedem e permeiam os nossos símbolos religiosos judeucristãos, assim como a arte e a literatura de toda a cultura ocidental. Além disso, continuam sendo as imagens mais fundamentais e precisas que descrevem o funcionamento multilateral e multicolorido da psique humana. Eles são símbolos da própria natureza, a nossa própria natureza humana com sua profunda ambivalência de corpo e espírito, e seus mutuamente contraditórios esforços para a autorrealização e para a inconsciência. A compreensão de nossa própria ambivalência começou, apenas recentemente, a ser restaurada ao seu antigo objetivo pela moderna psicologia de profundidade, que inevitavelmente teve de voltar à fonte — os deuses pagãos — para poder entender o comportamento humano. Assim, tanto nas cartas como neste livro, aderimos aos tradicionais significados das cartas, ao mesmo tempo ressuscitando os velhos deuses enterrados sob séculos de "refinamento".

Então, o que é mito? Os nossos dicionários oferecem várias definições. Uma delas diz que mito é uma história irreal — uma perspectiva que, sem dúvida, é válida em um sentido, mas inadequada em outro. É verdade que nenhum arqueólogo chegou a descobrir os ossos de Édipo ou de Hércules. Mas o que pode ser irreal em termos concretos, pode muito bem ser real no nível interior, como uma espécie de experiência subjetiva. A palavra mito pode também implicar um esquema ou um plano e é, justamente, esse significado que devemos considerar ao visualizarmos as cartas de Tarô. Imagens mitológicas são realmente figuras espontâneas criadas pela imaginação humana que descrevem, em linguagem poética, experiências e padrões humanos essenciais de

INTRODUÇÃO

desenvolvimento. Atualmente, a psicologia usa o termo "arquétipo" para descrever esses padrões. Arquétipo significa um padrão que é universal e existente em todas as pessoas, em todas as culturas, em todos os períodos da história.

O nascimento, por exemplo, é uma experiência arquetípica. Isso é obviamente real em um nível concreto — todos nós, em certo tempo ou em outro, nascemos. Mas também é uma experiência psicológica de espécie arquetípica, porque sempre que iniciamos algo novo, ou entramos em uma nova fase da vida, há um sentido de nascimento. Nascimento também implica outros estados subjetivos, porque nascer significa abandonar as reconfortantes e serenas águas do útero materno, tanto em nível físico quanto psicológico. A morte também é uma experiência arquetípica; todos nós, algum dia, morreremos. Da mesma forma, a morte também é psicológica, porque a vida muda, como nós também mudamos; todas as vezes que há um final de qualquer espécie, uma separação ou o fim de uma fase da vida, há um sentido de morte.

A puberdade, a passagem da infância para a adolescência (e ao estado de homem ou mulher fértil, adulto), também é arquetípica. Todos nós passamos pelos profundos estágios físicos e emocionais da puberdade, entre 12 e 15 anos de idade. Mas também podemos ter essas passagens muitas vezes em nossa vida, em nível interior e subjetivo, sempre que passamos da maneira infantil e inocente de visualizar os acontecimentos para uma compreensão mais real da vida que nos atinge e aprofunda. É por isso que um mito, como o rapto da virgem Perséfone por Hades, o deus do Inferno, tanto é a imagem do processo da puberdade, com a sua terrível separação do confortável mundo parental para um mundo totalmente desconhecido da vida, quanto a imagem de uma experiência psicológica que pode ocorrer sempre que ficamos presos a ideias ingênuas e pontos de vista infantis sobre a vida, sendo forçados pela experiência a descobrir as profundidades desconhecidas da vida e de nós mesmos.

INTRODUÇÃO

O mito retrata padrões arquetípicos da vida humana por meio de figuras e histórias. O mito grego* é uma imaginativa descrição, sofisticada e eternamente viva, do que somos feitos. Isso foi o que cativou a mente da Renascença e o que transpira nas imagens misteriosas das cartas de Tarô, que transcendem às mudanças de cultura e de consciência dos últimos quatro milênios e nos remetem — como os velhos sistemas de memorização — para o sentido de ligação com os antigos e eternos desígnios humanos.

Podemos agora ver que, na realidade, existem dois caminhos pelos quais é possível abordar as cartas de Tarô. Podemos enveredar pela abordagem histórica, que se limita essencialmente aos fatos, ou podemos empreender a abordagem psicológica, que é essencialmente arquetípica. Com a primeira podemos explicar — ou, pelo menos, podemos tentar explicar — as origens e intenções iniciais das cartas. Mas a segunda expõe a questão de seu eterno fascínio, apesar do fato de sermos mais bem versados cientificamente. No mundo das imagens da psique, as experiências não são ligadas pela casualidade, mas pelo significado. Outros padrões, que não os concretos, agem dentro de nós e, se não tivermos algum conhecimento da psique, as estranhas coincidências das cartas de Tarô poderão nos parecer assustadoras ou perturbadoras. A ligação entre os acontecimentos cotidianos e as imagens das cartas de Tarô não acontece porque as cartas são "mágicas", mas porque há um significado associado. Isso é o que queremos dizer quando citamos nascimento, morte e puberdade tanto como experiências externas quanto internas. Passamos por essas experiências constantemente em diferentes níveis e épocas de nossa vida, e há uma carta de Tarô que descreve cada uma delas; de alguma forma, ela aparecerá misteriosamente, "sem causa aparente", em uma abertura de cartas no momento em que estivermos, internamente, vivendo uma experiência arquetípica.

Assim, a maneira pela qual o Tarô "opera", a título de previsão, é tal como um espelho da psique. A natureza arquetípica das imagens

---

*N.E.: Sugerimos a leitura de *Mitos Gregos*, de Robert Graves, Madras Editora.

INTRODUÇÃO

atinge, de maneira oculta e inconsciente, a intuição do intérprete e reflete nele um conhecimento desconhecido ou percepções que se refiram à situação do cliente — aparentemente revelando fatos que, racionalmente, não seriam possíveis de ser descobertos. É por isso que poderes de "clarividência" ou "psíquicos" não são pré-requisitos para um intérprete sensitivo, pois a consciência dos padrões arquetípicos ou correntes que opera na vida das pessoas é refletida nas imagens das cartas.

OS ARCANOS MAIORES

Agora podemos nos dedicar às próprias cartas para compreender melhor o grande desígnio, história ou mito arquetípicos retratados em suas antigas imagens.

As 22 cartas dos Arcanos Maiores do Tarô consistem em uma série de imagens que retratam diferentes estágios de uma jornada. Esta é uma das viagens familiares de muitos mitos, lendas e contos de fadas, assim como de importantes ensinamentos religiosos. Trata-se da jornada da vida de cada ser humano, desde o seu nascimento, passando pela infância e o poder e a influência dos pais; a adolescência, com seus amores, conflitos e contestações; a maturidade, com suas experiências cotidianas e os desafios éticos e morais, perdas e crises, desespero, transformação e o despertar de novas esperanças para, eventualmente, alcançar e realizar um objetivo — que, por sua vez, leva a outra jornada.

Esse não é somente um ciclo de idade cronológica, mas também é aquele que ocorre várias vezes dentro do período de toda uma vida, pois tudo o que nos acontece tem início, meio e fim. Assim, a jornada representada pelos Arcanos Maiores é arquetípica, significando que, independentemente do que possam ser os detalhes específicos de uma vida individual, longa ou curta, banal ou dramática, boa ou má, alguns estágios estão à nossa espera no caminho do desenvolvimento psicológico. Todos nós fomos crianças e tivemos pais, e continuamos tendo partes próprias com atitudes infantis e prontas para um novo começo.

Todos passamos por fracassos e sucessos, grandes ou pequenos e, apesar de certas vezes com relutância, todos nós crescemos. Dessa forma, a arquetípica jornada da vida, na realidade, uma jornada interior que ocorre em muitos e diferentes níveis, pode ser encontrada em muitas manifestações criativas ao longo dos milênios. O famoso conto épico babilônico *Gilgamesh,* com o seu herói lutando contra as forças obscuras do mal, não é muito diferente do filme moderno *Guerra nas Estrelas.**

---

*N.E.: Sugerimos a leitura de *A Versão Babilônica sobre o Dilúvio e a Epopeia de Gilgamesh*, de E. A. Wallis Budge. Ver também *Star Wars e a Filosofia*, coordenado por Wilian Irwin, ambos da Madras Editora.

Mudanças internas provocam acontecimentos externos e estes promovem mudanças internas. Às vezes, é difícil dizer se, por exemplo, um caso de amor provocou uma atividade criativa e uma nova percepção, ou se essa percepção e uma maneira mais criativa de enxergar a vida nos levaram a um caso de amor. Também é difícil dizer se o fracasso de um negócio nos leva a ser amargos e desconfiados, ou se a desconfiança inata provoca o fracasso do negócio por meio da alienação dos colegas. Portanto, as imagens dos Arcanos Maiores descrevem tanto o estado interior do indivíduo em um determinado momento de sua vida quanto as experiências que ele poderá encontrar em seu cotidiano. Os dois estados andam em paralelo porque é o próprio indivíduo que os fundamenta. Como o famoso psiquiatra Carl Jung* certa vez escreveu, a vida de uma pessoa é característica dela mesma. Adivinhação e percepção psicológica caminham juntas com as figuras dos Arcanos Maiores, pois o que acontece no mundo externo está ligado ao nosso mundo interno. O mistério de por que uma carta específica aparece em uma abertura de cartas como se fosse "por acaso" e, no entanto, impressionantemente relevante não somente à condição psicológica do consulente (a pessoa que coloca a pergunta), mas também para as circunstâncias do momento, é inexplicável em termos de causas comuns. Por esse motivo, muitas pessoas têm medo das cartas, acreditando que estejam ligadas à magia ou ao sobrenatural, de alguma forma. No entanto, elas o são tanto quanto é a nossa psique, cujas profundezas pouco conhecemos e que parece estar ligada ao mundo "externo" por meio de conexões de múltiplos significados. De certa forma, compreender o significado interior de uma determinada experiência — "O que isso tem a ver comigo?" — pode ajudar-nos a enfrentá-la melhor e corresponder de uma forma mais rica e criativa, pois ela não nos parece mais casual, azar ou puro destino. Podemos enxergar traços de nossas próprias características em tudo o que nos acontece.

---

*N.E.: Sugerimos a leitura de *Carl Gustav Jung e os Fenômenos Psíquicos*, de Carlos Antonio Fragoso Guimarães, Madras Editora.

OS ARCANOS MAIORES

A jornada dos Arcanos Maiores é a do Louco, a primeira das 22 figuras. Seguimos o Louco e, ao mesmo tempo, nós assumimos este papel no momento em que ele surge na escuridão da caverna maternal e mergulha no desconhecido. Encontramos as experiências fundamentais da infância — os pais terrenos e os pais internos do espírito e da imaginação — nas cartas do Mago, da Imperatriz, do Imperador, da Sacerdotisa e do Hierofante. Reconhecemos os conflitos e paixões do adolescente dentro de nós nas cartas dos Namorados e do Carro. Deparamo-nos com os testes do mundo e os desafios morais da vida nas cartas da Justiça, da Temperança, da Força e do Eremita. Passamos por crises e perdas e o repentino golpe do destino representado pela Roda da Fortuna, e sofremos o desamparo e o desespero do Enforcado e da Morte. Seguimos ainda o Louco, na confrontação consigo mesmo, como o arquiteto oculto de seu próprio destino no Diabo e na Torre. Dessa escuridão, nasce a esperança nas cartas da Estrela, da Lua e do Sol; e a vitória sobre a escuridão e a reconciliação com a vida advêm com as cartas do Julgamento e do Mundo.

As imagens dos Arcanos Maiores são antigas e símbolos evocativos de experiências de vida que pertencem à nossa condição e destino humanos. Tais símbolos prestam dignidade à vida, porque descobrimos que outros lá estiveram antes de nós e encontraram o caminho, e cresceram e enriqueceram. Todas as cartas possuem significado ambivalente, de maneira a sugerir dimensões de experiências tanto negativas quanto positivas. Nenhuma das cartas é totalmente positiva ou totalmente negativa, apesar de algumas serem mais fáceis ou mais difíceis em termos de qualidade da experiência que descrevem. É por isso que não utilizamos o método de inverter as cartas, interpretando-as como positivas se aparecerem "de cabeça para cima" e negativas, "de cabeça para baixo". Essa técnica de inversão é uma inovação moderna e pode confundir em vez de elucidar o significado da carta. O "peso" de positivo ou negativo torna-se mais compreensível no contexto do padrão geral da abertura de cartas que discutiremos mais amplamente no capítulo apropriado. Mas uma experiência arquetípica e, portanto, a figura arquetípica que a incorpora, é uma mescla tão sutil de positividade e de negatividade que é impossível separá-las totalmente uma da outra.

Todas as cartas dos Arcanos Maiores são rituais de passagem — estágios ou processos, e não resultados finais ou lugares estáticos imutáveis. Cada estágio da vida leva ao seguinte e, apesar de podermos, de maneira compreensiva, tentar reter o tempo e permanecer em um lugar confortável, não está em nós, mortais, influir no ciclo do movimento da vida para que estagne em um único esconderijo. Portanto, ao final da jornada, o Louco recomeça a sua caminhada, porque, quando sentimos que alcançamos a meta e realizamos os nossos desígnios, uma outra meta, mais profunda ou mais alta, materializa-se além dela, de maneira que todo fim, na realidade, é uma preparação para algo mais que nos leva a reiniciar o ciclo.

Agora vamos examinar cada uma das 22 cartas dos Arcanos Maiores com mais detalhes.

OS ARCANOS MAIORES

O LOUCO

A carta do Louco, a primeira dos Arcanos Maiores, retrata um jovem selvagem vestido com retalhos de peles de animais e de diversas cores, dançando em abandono extático à beira de um precipício. Na cabeça, uma coroa de folhas de vinha sobre seus cabelos castanhos e um par de chifres na fronte, semelhantes aos de um bode. Seu olhar está voltado para o horizonte, onde o Sol está apenas nascendo. Ao seu redor, uma paisagem árida com pedras marrons e cinzas. À sua esquerda, escondida pelas sombras da noite que se retira, está a entrada da caverna da qual saiu. Acima dela, em um galho seco, uma águia empoleirada.

A águia é o pássaro de Zeus, o rei dos deuses, que protege o Louco no momento em que se prepara para mergulhar no desconhecido.

A caverna da qual o Louco surgiu é o passado, a massa obscura e indiferenciada da qual o início de um verdadeiro sentido de individualidade está para tomar forma.

Os chifres de bode na fronte do Louco sugerem, tal como as peles de animais que veste, que ele seja como um jovem animal conduzido à vida por instinto, ainda inconsciente e sem compreensão.

Aqui encontramos o herói de nossa jornada à guisa do misterioso deus Dioniso, o que nasceu duas vezes. Ele era filho do grande Zeus, rei dos deuses, e de Sêmele, uma mortal, princesa de Tebas. A esposa de Zeus, Hera, furiosa por sua infidelidade, disfarçou-se de ama-seca e sugeriu a Sêmele que testasse a devoção de seu amante pedindo-lhe que aparecesse em toda a sua divina glória. Como ele havia prometido

O LOUCO

a Sêmele que concederia tudo o que o seu coração desejasse, Zeus estava preso à sua palavra quando ela insistiu que lhe revelasse a sua divindade. Com relutância, ele se manifestou como trovão e raio, e Sêmele foi consumida pelas chamas. Mas Zeus conseguiu salvar a criança. Hermes, mensageiro dos deuses e patrono da magia, costurou o feto na coxa de Zeus e foi assim que Dioniso nasceu.

Hera continuou perseguindo a estranha criança de chifres e enviou os Titãs, os deuses da Terra, para que cortassem Dioniso em pedaços. Mas Zeus salvou o coração da criança, o qual ainda batia, e o transformou em uma poção de sementes de romã. A bebida mágica foi oferecida à virgem Perséfone por Hades, o obscuro deus do Submundo, quando este a raptou. Perséfone ficou grávida e foi assim que Dioniso renasceu no Submundo. Ele, então, foi chamado Dioniso-Iaco, o que nasceu duas vezes, deus da luz e do êxtase. Ordenado por seu pai Zeus a viver entre os homens e a compartilhar de seus sofrimentos, ele foi acometido de loucura por Hera e vagou pelo mundo seguido por sátiros selvagens, mulheres aloucadas e animais. Ele deu à humanidade o presente do vinho e concedia o êxtase inebriante e a redenção espiritual àqueles que queriam se desvencilhar do poder e das riquezas materiais. Posteriormente, seu pai divino, Zeus, pediu que ele subisse para o Olimpo, onde ocupou o seu lugar à direita do rei dos deuses.

No sentido interior, Dioniso, o Louco, é uma imagem do nosso misterioso impulso de mergulhar no desconhecido. O nosso lado conservador, cauteloso e realista, observa com horror esse espírito selvagem e jovem que, confiando no céu, está preparado para pular no precipício sem qualquer hesitação. A loucura de Dioniso existe perante a nossa parte ligada ao mundo da forma, dos fatos e da ordem lógica. Mas, em um sentido mais profundo, não se trata de loucura, pois é o impulso para a mudança que nos atinge inadvertidamente sem qualquer base racional e sem um programa planejado de ação. O deus é retratado em peles de animais porque, de certa forma, essa dimensão intuitiva e irracional para a personalidade humana é uma espécie de sexto sentido, um instinto animal que ouve uma música

O LOUCO

com a qual ouvidos cansados e acostumados à realidade concreta não estão sintonizados. Dioniso é o filho do rei dos deuses e é o espírito de seu pai com o qual ele está sintonizado, apesar de ordenado a viver na Terra com os mortais; mas quando esse impulso nos atinge é difícil saber se ele procede da morada divina ou de um lugar mais sombrio, do Submundo.

Assim, Dioniso, o Louco, representa o impulso irracional para a mudança e abertura dos horizontes da vida frente ao desconhecido. O Louco encontra-se no início de sua jornada e, quando somos atingidos pelo misterioso impulso que representa, também nos colocamos à beira de uma jornada. Às vezes, esses impulsos irracionais podem ser destrutivos como também podem ser criativos, e frequentemente são os dois juntos. Às vezes, o deus selvagem pode mergulhar no precipício e deparar-se com situações penosas e prejudiciais, as quais também podem proporcionar inícios incrivelmente criativos, a condição na qual se encontra o indivíduo desesperadamente ávido de alimento espiritual que ele ou ela não pode realmente entender. Mas, se nós não correspondermos a esses chamados do outro mundo, afundamos então em vidas monótonas, banais e sem sentido, e chegamos ao final de uma vida perguntando-nos o que perdemos e por que o mundo parece tão vazio. Por conseguinte, o Louco é uma figura altamente ambivalente, pois não há qualquer garantia, no início dessa jornada, de chegarmos em segurança ou, se até mesmo, chegaremos. Por outro lado, não iniciar é negar o deus que, em nível interior, significa negar tudo em nós que seja jovem, criativo e que esteja em contato com o que é maior do que nós mesmos.

Em nível divinatório, Dioniso, o Louco, inaugura o advento de um novo capítulo da vida quando aparece em uma abertura de cartas. Um risco de alguma espécie é necessário, uma vontade de mergulhar no desconhecido. O Louco é tão ambíguo quanto Dioniso, pois não podemos saber se penetraremos na percepção divina do Louco ou acabaremos simplesmente parecendo loucos. Dessa forma, no meio da ambiguidade, da atividade e do medo, começa a grande jornada da vida retratada pelo Arcano Maior do Tarô.

O MAGO

A carta do Mago apresenta um jovem forte e esbelto, de cabelos pretos encaracolados, que se encontra em uma encruzilhada. Ele veste uma curta túnica branca e um manto de viagem vermelho. A sua mão esquerda aponta para o céu, enquanto com a direita ele aponta para uma pedra plana que está à sua frente, no centro da convergência das estradas. Sobre a pedra estão reunidos quatro objetos: um cálice, uma espada, uma vara flamejante ou caduceu e um pentáculo. Atrás dele, um cenário árido com pedras marrons e cinzas – uma continuação do cenário apresentado na carta do Louco. Duas ramificações da estrada desaparecem na distância rochosa.

O cálice representa o Cálice da Sorte, particularmente a sorte no amor, pois Hermes é um entendido nos casos do coração.

A espada representa o fio cortante da mente e o seu poder, dado a Hermes por seu pai, Zeus.

A sacola de pentáculos ou de moedas marca Hermes como o deus da boa sorte, patrono dos comerciantes e dos homens de negócios.

O caduceu é a varinha mágica de Hermes, enrolada por duas serpentes que representam todos os opostos: bem e mal, macho e fêmea, escuridão e luz.

Aqui encontramos o deus Hermes, guia dos viajantes, patrono dos ladrões e dos mentirosos, soberano da magia e da adivinhação e promotor da boa sorte repentina e de suas mudanças. É chamado de "Trapaceiro" por ser ambíguo e enganador e, no entanto, ele é o mensageiro da confiança dos deuses e o guia das almas no Submundo.

O MAGO

Na Mitologia grega*, Hermes era o filho de Zeus, rei dos deuses, e da misteriosa ninfa Maia, também chamada de Mãe da Noite. Portanto, ele é o filho tanto da luz espiritual quanto da escuridão primordial, e as suas cores — vermelho e preto — refletem a mistura das paixões terrenas e da claridade espiritual que fazem parte de sua natureza.

Ainda bebê, Hermes engatinhou para fora de seu berço e roubou um rebanho de gado de seu irmão Apolo, o deus-Sol. Para enganar Apolo, ele vestiu sandálias ao revés para que o deus, irado, procurasse o culpado na direção errada. Quando, finalmente, Apolo o confrontou para saber quem havia roubado o seu gado, Hermes presenteou-o com uma lira que havia feito da carapaça de uma tartaruga. Hermes elogiou seu irmão com um discurso astuto, mas melífluo, dizendo-lhe que o presente era para honrar o seu maravilhoso dom musical. O deus-Sol ficou tão orgulhoso que se esqueceu do gado e até presenteou Hermes com o dom da adivinhação. Com isso, Hermes tornou-se o mestre dos quatro elementos e, posteriormente, ensinou aos homens as habilidades da Geomancia (adivinhação pela terra), Piromancia (adivinhação pelo fogo), Hidromancia (adivinhação pela água) e Aeromancia (adivinhação pelo ar). Ele era sempre venerado em encruzilhadas, nas quais estátuas eram erigidas para honrá-lo e invocar a sua bênção sobre os viajantes, os errantes e os sem-teto.

No sentido interior, Hermes, o Mago, é o guia. Isso significa que em algum lugar dentro de nós, não importa quão perdidos ou confusos estejamos, em qualquer momento da vida, temos os recursos da previsão muitas vezes ocultos da consciência, mas que podem intuir a direção a ser tomada e as escolhas a empreender. O Mago nem sempre atende quando é chamado, pois Hermes é um deus astuto e brincalhão. Ele tem suas próprias ideias do que possa ser importante. Chega à noite, muitas vezes na forma de sonhos perturbadores ou à guisa de reunião com outra pessoa que se torna significativa como catalisadora da jornada. Ou, então, ele pode aparecer como uma pista repentina ou a descoberta de que temos à disposição mais do que um pensamento.

---

*N.E.: Sugerimos a leitura de *O Livro Completo da Mitologia Clássica*, de Lesley Bolton, Madras Editora.

O MAGO

O livro que "acidentalmente" nos cai nas mãos, ou a ocasional visita de um amigo, ou qualquer pequena "virada do destino" são obras do Mago, o guia interior. De certa forma, o Mago é o educador espiritual e protetor do Louco assim como, no mito, o deus Hermes conseguiu costurar o feto Dioniso na coxa de Zeus, protegendo-o até o seu nascimento. Hermes, o Mago, é o poder inconsciente a partir do qual cuida de nós, apesar de não podermos vê-lo, e que aparece como por mágica nos momentos mais críticos e difíceis da vida, para oferecer orientação e sabedoria.

Hermes não era um deus no qual fosse possível confiar para decisões comuns dos afazeres cotidianos. Ele podia trapacear e confundir e, muitas vezes, suas orientações faziam homens e mulheres se perderem na noite ao longo de caminhos intricados e afastados, levando o viajante a lugares estranhos e frustrantes. Seguir o guia interior não significa sempre empreender escolhas seguras para garantir bons resultados. Frequentemente, eles são o oposto. Mas, como Hermes é o mestre dos quatro elementos, a sua sabedoria pode penetrar todas as fases da vida — a mente, a imaginação, o coração e o corpo. Sem ele não temos absolutamente qualquer recurso interior e, portanto, acabaremos sempre confiando na orientação de outras pessoas e destinados a viajar como gado nas mesmas trilhas desgastadas como todos fazem. O Louco encontra o Mago somente após ter enfrentado o precipício, pois as visitações do guia interior não ocorrem quando nos escondemos na segurança da caverna maternal.

No sentido divinatório, Hermes, o Mago, aponta para dons e habilidades criativas que ainda não se manifestaram. Ele pode aparecer como uma onda de energia e uma intuição de excitantes oportunidades novas. Ele pressente o discernimento e uma percepção de possibilidades inexploradas. O Louco é cego e tem unicamente o sentido animal de um significado a ser encontrado em algum lugar, de alguma forma. Mas, pelo seu encontro com Hermes, o Mago, torna-se claro que a jornada é possível e que ele possui capacidades que ainda devem ser desenvolvidas.

A IMPERATRIZ

A carta da Imperatriz retrata uma bela mulher grávida, de longos cabelos castanhos, em pé no meio de um campo de cevada em maturação. Sua saia é urdida com muitas e diferentes plantas e a barra é feita de ramos de folhas de louro. Em volta do pescoço, um colar de 12 pedras preciosas. Ela porta uma coroa com um diadema de castelos e torres. Atrás dela, em um cenário de campos férteis, água flui para um lago.

A caída d'água sugere o fluxo de sentimento e de fertilidade do mundo de Deméter. Ela preside os rituais do casamento e abençoa os frutos dessa união.

O diadema de castelos e torres que Deméter porta na cabeça representa o seu domínio sobre o instinto de construir casas seguras de pedra e de madeira, lugares de segurança e de paz.

O colar de 12 pedras preciosas simboliza os 12 signos do zodíaco. Como regente da natureza, Deméter governa o ciclo ordenado das estações e as leis do Cosmos.

Aqui encontramos a grande deusa Deméter, a Mãe da Terra, regente de toda a natureza e protetora das jovens criaturas indefesas. No mito grego, Deméter amadurecia anualmente o trigo dourado e, ao final do verão, as pessoas lhe ofereciam agradecimentos pela fertilidade da terra. Deméter reinava os ciclos ordenados da natureza e a vida de todas as coisas em crescimento; daí a saia que ela veste. Ela preside a gestação e o nascimento da nova vida, abençoando os rituais do casamento como veículo para a continuidade da natureza. Deméter é uma deusa matriarcal, uma imagem do poder dentro da própria terra, que não precisa de qualquer validação do céu. Dizem que ela ensinou aos homens as artes de arar e de semear a terra e, às mulheres, as artes de moer o trigo para fazer o pão.

Deméter vivia com sua filha Perséfone, abrigada dos conflitos e das disputas do mundo. Porém, um dia essa vida pacífica e contente foi violentamente invadida. Perséfone havia saído para passear e não voltara. Angustiada, Deméter procurou-a em todos os lugares, mas sua filha havia desaparecido sem deixar vestígios. Finalmente, após anos de buscas infrutíferas, ela veio a conhecer o destino de Perséfone. Diziam que Hades, o senhor obscuro do Submundo, se apaixonara pela jovem e saíra de seu domínio para a superfície da Terra em sua carruagem, puxada por dois cavalos negros, e a raptara.

Furiosa, Deméter permitiu que a Terra ficasse árida e recusou-se a restaurá-la à sua antiga abundância. Como ela não podia suportar essa mudança — apesar de Perséfone ter concordado em comer a romã, fruta do Submundo, e Hades tê-la tratado com honradez e feito dela a sua rainha —, parecia que toda a humanidade pereceria por falta de alimento. Por fim, graças à intercessão do inteligente e previdente deus Hermes, chegou-se a um acordo: durante nove meses do ano, Perséfone viveria com a sua mãe, mas deveria voltar para seu marido obscuro durante os outros três.

Deméter nunca chegou a uma conclusão com essa solução. Todos os anos, quando a sua filha estava ausente, a Mãe-Terra sofria de tristeza. As flores murchavam, as árvores deixavam cair suas folhas e a Terra entrava em um período sem vida e frio. Mas todos os anos, com o retorno de Perséfone, a esplendorosa Primavera voltava a reavivar a Terra.

No sentido interior, a imagem de Deméter, a Imperatriz, reflete a experiência da maternidade. Isso não significa somente o processo físico de gestação, nascimento e alimentação da jovem e indefesa criatura. Também é a experiência interior da Grande Mãe: a descoberta do corpo

A IMPERATRIZ

como algo valioso e precioso que merece cuidado; a experiência de ser parte da natureza e estar enraizado na vida natural; a apreciação dos sentidos e os simples prazeres da existência cotidiana. Sem a Grande Mãe dentro de nós, nada podemos levar à frutificação, pois esse é o nosso lado que possui a paciência e a delicadeza de esperar até o momento de estar maduro para a ação. Sem ela, não podemos apreciar o nosso ser físico e vivemos desligados em um mundo puramente intelectual, sem qualquer base ou respeito pela realidade. A experiência da mãe de uma criança está ligada ao sentimento de segurança e de confiança na vida e, da mesma forma, a imagem da Imperatriz está ligada ao sentimento interno de segurança e confiança no presente. Ela é sábia, mas não de maneira racional. A sua é a sabedoria da natureza, que sabe e entende que todas as coisas se movem em ciclos e amadurecem no tempo apropriado.

Entretanto, como todas as figuras do baralho do Tarô, Deméter tem o seu lado obscuro, pois a natureza também significa estagnação do espírito, apatia e indiferença que neutralizam qualquer possibilidade de mudança. Deméter não somente é a Boa Mãe, mas também a Mãe Enlutada que não pode renunciar às suas posses e que se vinga de qualquer intrusão de conflitos da vida em seu mundo organizado e paradisíaco. Essa Mãe Enlutada pode estar repleta de amargura e de ressentimento, pois a vida exige que mudanças, separações e finalizações ocorram. Assim, quando o Louco em sua jornada arquetípica encontra Deméter, a Imperatriz, ele é impulsionado para as dimensões sombrias e iluminadas de sua própria natureza instintiva.

No sentido divinatório, o aparecimento da Imperatriz em uma abertura de cartas sugere o advento de uma fase mais terrena da vida. Pode ocorrer um casamento ou o nascimento de uma criança, pois esses também exigem paciência e alimentação da Grande Mãe. Por meio dessa carta, penetramos no domínio do corpo e dos instintos como um lugar de paz e também de estagnação; lugar em que a vida é dada, mas também é sufocada. Dessa maneira, o Louco, a criança do céu, descobre que vive em um corpo físico e é uma criatura não somente espiritual, mas também material.

O IMPERADOR

A carta do Imperador retrata um homem maduro, de ombros e peito amplos e musculosos. Seus belos e compridos cabelos e barba são castanho-avermelhados e seus olhos azul-claros como o céu. Ele nos confronta sentado em um trono dourado no topo de uma montanha. Sua veste é de cor púrpura bordada a ouro e, em sua cabeça, uma coroa dourada. Com sua mão direita, ele segura três raios, e, com a esquerda, o globo do mundo. Uma águia está pousada sobre o seu ombro. Atrás dele, estende-se um acúmulo de picos nevados.

O raio é o símbolo de poder de Zeus, não somente razão de sua imponência, mas também porque ele ilumina o céu. Zeus é um deus de inspiração e de repentina visão criativa. O raio também simboliza a sua revelação da verdade.

Zeus tem a sua morada nos picos montanhosos porque é um deus de alturas mentais e espirituais e a sua vontade eleva-se acima da sujeição do corpo e das limitações da natureza.

A águia é o emblema de Zeus por causa de sua agudez de visão e poder de alto voo, acima de qualquer outro pássaro. Tal como um pássaro de rapina, ele também expressa o instinto agressivo e de conquista do deus.

Aqui encontramos o grande Zeus, rei dos deuses, que os gregos chamavam de Pai de Todos, criador do mundo e soberano dos deuses e dos homens. Na Mitologia, Zeus era o filho mais jovem dos Titãs Cronos e Réa. Uma profecia havia sido revelada a Cronos de que, um dia, um de seus filhos o destronaria e ocuparia o seu lugar. Para se salvaguardar, ele decidiu destruir os seus filhos e, durante cinco anos seguidos, à medida que Réa dava à luz os seus filhos e filhas, Cronos os arrancava de seus braços e os engolia antes que abrissem os olhos.

É claro que isso não agradava Réa que, quando soube que um sexto filho estava para nascer, fugiu secretamente para Arcádia e, em uma gruta, deu à luz Zeus. Então, ela envolveu uma grande pedra em faixas e apresentou-a a Cronos como seu filho. Ele imediatamente a engoliu. Com o tempo, Zeus cresceu e apresentou-se a Cronos disfarçado de copeiro. Ele preparou uma poção para o seu pai a qual o enjoou tão violentamente que vomitou as cinco crianças ilesas, as quais havia engolido, assim como a pedra que Réa lhe havia levado no lugar de Zeus. Zeus então levou seus irmãos e irmãs a uma rebelião contra Cronos e, destronando-o, inaugurou um novo reinado.

O novo rei dos deuses fez do Monte Olimpo a sua morada e estabeleceu uma hierarquia de deuses que obedeciam à sua lei suprema. Seus símbolos de poder eram o trovão e o raio. Seu espírito volátil, fogoso e dissoluto expressou-se não somente nas tempestades elétricas, mas também nas muitas amantes que ele perseguiu e nos muitos filhos que gerou. Entre eles estava Atena (deusa da justiça), Diké (deusa da lei natural), as três Moiras ou Parcas (deusas do destino) e as nove Musas (que presidem as artes liberais). Sua esposa, Hera, deusa do casamento e dos nascimentos, reinava como a sua consorte. Zeus concedia o bem e o mal de acordo com as leis que ele mesmo estabelecia. Ele também era deus dos lares e da amizade, e o protetor de todos os homens.

No sentido interior, Zeus, o Imperador, é a imagem da experiência da paternidade. É o pai que encarna os nossos ideais espirituais, os nossos códigos éticos, a autossuficiência com a qual sobrevivemos no mundo, a autoridade e a ambição que nos levam às realizações, a disciplina e a presciência necessárias para alcançar as nossas metas. Esse princípio masculino, tanto nos homens quanto nas mulheres, difere da nutrição e do amor incondicional da mãe com os quais nos deparamos na carta da Imperatriz. Aqui, o mais alto valor é concedido ao espírito e não ao corpo, e o que é exigido de nós é a ação, em vez do fluir intuitivo com a natureza.

O nosso pai interior também promove o autorrespeito porque é essa nossa parte que pode assumir uma posição da qual é possível enfrentar os desafios da vida. Zeus podia ter compaixão e defender os fracos e os pobres, mas também podia mostrar a sua ira e a sua vingança caso a sua autoridade fosse contestada e suas leis fossem violadas. Dessa forma, Zeus, o Imperador, tem o seu lado sombrio expresso, em nível interior, pela rigidez e pela implacável retidão. Estar em relacionamento com o pai interior significa possuir um sentido de autopoder, a capacidade de implementar ideias e concretizá-las no mundo. Ser dominado pelo pai interior significa estar preso a um conjunto de crenças que esmaga todos os sentimentos humanos com sua inflexibilidade e arrogância. Então, tal como o próprio Zeus, devemos derrocar o antigo regime, inaugurando uma nova lei mais criativa para não nos tornarmos tiranos fúteis ou para não sermos envolvidos pelo feitiço de um tirano do mundo externo. Ao descobrir o mundo rico e fecundo das necessidades e dos prazeres do corpo, o Louco, agora, deve encontrar os princípios éticos que devem reger a vida, pois sem o Imperador somos meros joguetes guiados interna e externamente pelo instinto cego, culpando outras pessoas e a sociedade por nossos problemas, em razão do fato de não podermos encontrar a experiência interior da força representada pelo pai.

No sentido divinatório, Zeus, o Imperador, prevê um confronto com relação à questão do princípio do pai em sua forma tanto positiva quanto negativa. Somos desafiados a manifestarmos para concretizar uma ideia criativa, para construir no mundo, talvez para estabelecer um negócio ou a estrutura de um lar familiar. Devemos assumir uma posição para nos tornarmos efetivos e poderosos, para expressarmos as nossas ideias e ética. Também devemos considerar o momento em que o jovem rei se torna o rígido e opressivo tirano, e quando as nossas ideologias interferem na vida e no desenvolvimento. Quando o Louco encontra o Imperador, após a sua permanência temporária no mundo dos instintos, ele aprende a enfrentar a vida sozinho, com seus próprios recursos e de acordo com a ética que deve desenvolver para si. Ele, então, pode progredir em sua jornada com a certeza de ser efetivo na vida, porque acredita em algo maior cuja autoridade ele mesmo incorpora.

A SACERDOTISA

A carta da Sacerdotisa retrata uma jovem esbelta e delicada, de pele clara, longos cabelos pretos e olhos escuros, portando um vestido branco, simples e longo. Em sua cabeça, uma coroa dourada. Em sua mão direita, ela segura uma romã aberta ao meio para mostrar suas múltiplas sementes. Em sua mão esquerda, um buquê de narcisos brancos que também se espalham pelo chão. Em cada lado da escadaria, na qual ela se encontra, há uma coluna; a da esquerda é preta e a da direita, branca. Atrás dela, no alto da escadaria, um portal dá passagem a um rico cenário verde que também aparece na carta da Imperatriz.

A romã é tanto a fruta dos mortos quanto do amor conjugal graças à sua multiplicidade de sementes. É por isso que o mundo oculto de Perséfone é fértil e repleto de um potencial criativo a ser desenvolvido.

As colunas branca e preta representam a dualidade própria do Submundo. Os impulsos potenciais, tanto criativos quanto destrutivos, estão ocultos na escuridão do inconsciente.

O narciso que Perséfone colheu quando Hades a raptou era associado aos mortos por causa de sua pálida cor fantasmagórica e de seu desabrochar anual durante a época do inverno.

Aqui encontramos Perséfone, rainha do Submundo, filha de Deméter, a Mãe-Terra, e guardiã dos segredos dos mortos. Na carta da Imperatriz, vimos como, de acordo com o mito, Hades, senhor do Submundo, apaixonara-se pela jovem Perséfone quando ela colhia flores nos campos, saindo de sua morada para raptá-la. Levando-a para o seu mundo sombrio, ele lhe ofereceu uma romã, e ela aceitou.

Ao comê-la, ela participou da fruta dos mortos e, assim, ficou eternamente ligada ao deus.

Perséfone governava o Submundo durante três meses do ano e, apesar de passar nove meses no mundo da luz com a sua mãe Deméter, ela não podia contar os segredos que lhe foram revelados no mundo dos mortos. O reino de Hades, cheio de mistérios e riquezas, era cercado pelo terrível rio Estige, que nenhum ser humano vivo podia atravessar sem a permissão do próprio Hades; mesmo quando Hermes, mensageiro dos deuses e guia das almas, podia escolher os heróis excepcionais que conseguiam o consentimento do deus. Inclusive as almas dos mortos não podiam atravessar o rio sem pagar uma moeda a Caronte, o velho barqueiro encarregado da travessia do Estige, pois nos portais do reino de Hades encontrava-se Cérbero, o terrível cão de três cabeças, que devorava qualquer intruso, vivo ou morto, que não respeitasse as leis desse reino invisível. Dessa forma, ao comer a romã, Perséfone deixava para trás a sua infância inocente, tornando-se a guardiã desse mundo sombrio e seus segredos.

No sentido interior, Perséfone, a Sacerdotisa, é uma figura de ligação com o misterioso mundo interior para o qual a psicologia de profundidade deu o nome de "inconsciente". É como se embaixo e além do mundo da luz, que acreditamos ser a realidade, houvesse um outro mundo oculto, cheio de riquezas e potenciais, que não podemos penetrar sem o consentimento de seus governantes invisíveis. Esse mundo contém os nossos potenciais a ser desenvolvidos, assim como as facetas mais sombrias e primitivas da personalidade. Também contém o segredo do destino do indivíduo que, na escuridão, se encontra em estado embrionário até que a maturidade seja alcançada para a sua manifestação.

Perséfone, a Sacerdotisa, é a incorporação da nossa parte que conhece os segredos do mundo interior. Mas ela é apenas percebida pela consciência desperta e aparece por meio de fugazes fragmentos de sonhos ou por estranhas coincidências que nos fazem imaginar se existe algum padrão oculto agindo em nossas vidas.

A SACERDOTISA

Perséfone é uma personagem sedutora e fascinante, mas ela não revela os seus segredos. Da mesma maneira, o mundo obscuro do inconsciente, vislumbrado por meio de sonhos, fantasias e intuições, também é sedutor e fascinante; mas, quando procuramos entendê-lo pelo intelecto e "dominá-lo" para os nossos próprios propósitos, ele emudece e nos escapa. O mundo sombrio de Perséfone proporciona unicamente vislumbres obscuros de padrões e movimentos em ação no indivíduo, que requerem paciência e tempo antes que possam ser trazidos à luz do dia. O mito de Perséfone enfatiza o movimento cíclico do tempo, retratando um ritmo misterioso, um constante vaivém de algo. As sementes da mudança e de novos potenciais aguardam silenciosamente no útero do Submundo antes de serem transferidas aos cuidados da Mãe-Terra para serem levadas a nascer no mundo material. Perséfone, a Sacerdotisa, é uma imagem da lei natural em ação nas profundezas da alma que governa o desenrolar do destino a partir de uma fonte invisível e que somente é revelada por meio do sentimento, da intuição e do mundo obscuro dos sonhos.

No sentido divinatório, o aparecimento da Sacerdotisa em uma abertura de cartas prevê um aumento dos poderes da intuição e implica uma espécie de encontro com o oculto mundo interior governado por Perséfone. O indivíduo pode ser atraído inexplicavelmente para esse mundo por meio do interesse pelo ocultismo ou pelo esoterismo, ou ainda por meio de um poderoso sonho ou de um sentido interno de que "alguma coisa" esteja agindo na vida das pessoas.

Desse modo, o Louco que aprendeu um pouco mais a respeito de sua natureza física e de suas necessidades, assim como o seu lugar no mundo por meio de seus pais terrenos, a Imperatriz e o Imperador, agora penetra no mundo da noite para ir ao encontro, muitas vezes confuso e surpreso, da figura silenciosa que encarna a Mãe em um nível mais profundo e sutil — o útero do inconsciente no qual o segredo de seu verdadeiro propósito e o padrão de seu destino estão contidos.

O HIEROFANTE

A carta do Hierofante retrata uma estranha figura: um Centauro, com o tronco, os braços e a cabeça de homem e o corpo de um cavalo. Seus longos cabelos e barba castanhos e seu rosto maduro e benigno sugerem um sacerdote ou um professor. Sua mão direita está levantada em um antigo sinal de bênção, enquanto a esquerda segura um pergaminho. Aos seus dois lados, uma coluna de pedra. Atrás dele é vista a rocha bruta da caverna que é tanto a sua morada como o seu templo. Uma luz é dirigida sobre a sua cabeça coroada por meio de uma abertura no teto da caverna.

A caverna, que é o templo de Quíron, é uma formação natural e não um lugar de veneração feito pelo homem, pois é somente por meio dos ensinamentos espirituais que a vida física cotidiana é validada.

Os dois pilares são aqueles do Templo do Conhecimento por meio dos quais os discípulos entram para receber os ensinamentos de Quíron.

O pergaminho que o Centauro segura na mão esquerda é o da Lei, a palavra escrita que, por meio da revelação, comunica a vontade divina.

Aqui encontramos Quíron, rei dos Centauros, curador, sacerdote e sábio educador de todos os jovens heróis da Mitologia. O próprio nascimento de Quíron foi um verdadeiro mistério, pois ele nasceu da união de Ixion, — filho do deus da guerra, Ares —, com uma nuvem que Zeus formou à semelhança de sua esposa Hera, para impedir que Ixion fizesse amor com a própria deusa. O centauro foi educado por

O HIEROFANTE

Apolo, o deus-Sol, e Ártemis, a deusa da Lua, e, graças à sua grande sabedoria e espiritualidade, ele foi eleito rei dos centauros, cuja tarefa era incutir nos jovens príncipes gregos os valores espirituais e o respeito pela lei divina que eles deviam aprender antes mesmo das artes de reinar e das proezas das armas.

Quíron também era um grande curador e conhecia o segredo das ervas e das plantas. Mas ele era incapaz de curar a si mesmo. Um dia, seu amigo Héracles visitou-o em sua caverna; o herói grego acabara de matar Hidra com as suas nove cabeças venenosas. Acidentalmente, Héracles arranhou o Centauro na coxa com uma de suas flechas que haviam sido embebidas no sangue do monstro. Esse sangue era puro veneno e todo o conhecimento que Quíron possuía não conseguiu fazer com que ele o extraísse da ferida. Como era imortal, ele não podia morrer e, assim, foi condenado a conviver com a dor, sacrificando a felicidade do mundo e dedicando-se a ensinar a sabedoria espiritual.

No sentido interior, Quíron, o Hierofante, é a nossa parte que invoca o espírito para poder compreender o que nos é exigido por Deus. Ele é o nosso educador espiritual interno, o sacerdote que estabelece uma ligação entre a consciência terrena e o conhecimento intuitivo da lei de Deus. O mundo de Perséfone, a Sacerdotisa, é sombrio e fugaz, e não pode ser compreendido pelo intelecto, mas o mundo de Quíron pode ser elucidado e interpretado pela mente. A palavra antiga *pontifex* para sacerdote significa "fazedor de pontes", pois o papel do sacerdote, tanto dentro quanto fora de nós, é servir de pai espiritual, estabelecendo um relacionamento entre o homem e Deus e tornando clara a natureza das leis pelas quais devemos viver para estarmos em relação correta com o divino. As leis do Imperador, que incorporam o princípio do pai na Terra, dizem respeito ao comportamento correto no mundo. Mas as leis do Hierofante se referem ao comportamento correto aos olhos de Deus. Entretanto, Quíron não simboliza qualquer sistema religioso ortodoxo. Ele é uma criatura selvagem, meio homem e meio animal, e o seu templo não tem qualquer manipulação humana, porém, mais exatamente, é uma caverna em uma montanha. Assim, a lei espiritual que ele transmite não é uma lei coletiva baseada em dogmas, mas sim, individual e somente pode ser percebida por meio do nosso sacerdote interior. Portanto, pessoas diferentes experimentam Deus de uma maneira diferente, e atingimos o nosso entendimento espiritual de acordo com o nosso entendimento particular do que "Deus" possa realmente significar.

A ferida de Quíron faz com que ele seja o Curador Ferido, aquele que, por meio de sua própria dor, pode compreender e apreciar a dor alheia e, portanto, pode enxergar muito além do que aqueles que estão cegamente satisfeitos. E então Quíron, o Hierofante, representa a nossa parte ferida em que algum problema insolúvel ou uma limitação qualquer nos aprofunda e nos torna misericordiosos quando, ao contrário, seríamos meras superficialidades de bondade sem qualquer sentido real do que possa significar. O verdadeiro sacerdote está aberto à dor e aos desejos do mundo, porque, ele mesmo, sofre.

A imagem de Quíron nos liga ao valor das limitações insuperáveis ou das feridas dentro de nós que, apesar de causarem sofrimento na vida cotidiana, assim mesmo nos obrigam a questionar e a abrir o caminho para uma maior compreensão das leis superiores da vida. Esse paradoxo também é sugerido pelo próprio Centauro, pois, sendo metade deus e metade cavalo, ele se utiliza tanto do instinto quanto do espírito, além de conter uma dualidade que faz parte de nossa condição humana. O homem não é totalmente animal nem totalmente divino, mas uma mistura de ambos, e deve aprender a conviver com os dois. Dessa mescla, surge a sabedoria do Centauro, que participa tanto do conhecimento de Deus quanto do conhecimento da lei natural — Deus manifestando-se no mundo das formas.

No sentido divinatório, quando Quíron, o Hierofante, aparece em uma abertura de cartas, ele implica que o indivíduo começará a, ativamente, procurar respostas de nível filosófico. Isso pode ocorrer como o estudo de uma filosofia particular ou de um sistema de crença, ou ainda como o compromisso profundo de busca por um significado para a vida. O Hierofante pode aparecer na forma de um analista, de um psicoterapeuta, de um sacerdote ou de um mentor espiritual na vida exterior, para quem nos voltamos à procura de consolo e ajuda. O Louco, então, emerge de sua descoberta do Submundo e dos

O HIEROFANTE

poderes ocultos do subconsciente à procura de respostas para o enigma de si mesmo e para o significado de sua vida. Ao encontrar-se com o Hierofante, ele descobre a sua parte que pode começar a formular e a expressar uma filosofia pessoal e uma visão individual do espírito que o guiam ao deixar para trás a sua infância, preparando-se para enfrentar os desafios da vida.

OS NAMORADOS

A carta dos namorados retrata um jovem formoso vestido em simples trajes de pastor, segurando um cajado na mão direita; em sua mão esquerda, uma maçã dourada. Três mulheres se exibem, pois se trata de um concurso de beleza e a maçã dourada será o prêmio da escolhida. A mulher à esquerda tem um porte majestoso e maduro, com cabelos castanhos e olhos claros, um vestido de cor púrpura e porta um diadema dourado na cabeça. Ela oferece ao jovem o globo do mundo. A mulher ao centro é jovem, sedutora e de cabelos pretos. Sua túnica transparente cor-de-rosa revela mais do que esconde. Ela oferece um cálice de ouro. A mulher à direita é fria e casta, vestida com armadura completa de luta; seus cabelos claros estão quase totalmente cobertos pelo elmo de guerreiro. Ela oferece uma espada. Atrás das quatro figuras, estende-se um cenário ondulante de colinas verdejantes.

Hera, esposa e porta-voz de Zeus, oferece o globo do mundo, que representa a autoridade terrena e a perspectiva ética de Zeus, o Imperador.

Atena oferece uma espada, que encontraremos mais tarde no Naipe de Espadas e simboliza o poder afiado da mente, a visão aguda e a assertividade que pertencem à esfera mental.

Afrodite oferece o cálice do amor que encontraremos mais adiante no Naipe de Copas, que é um símbolo de relacionamento.

Aqui encontramos o príncipe Páris que foi incumbido por Zeus de presidir um concurso de beleza entre as três deusas — Hera, Afrodite e Atena. Quando Páris nasceu, um oráculo previu que um dia ele representaria a derrocada do império do pai. Com medo dessa profecia, o rei Príamo, seu pai, sentenciou-o à morte, abandonando-o à sua própria sorte no topo de uma colina. Mas um pastor que por ali passava o salvou e criou. Ele cresceu pastando ovelhas e passava horas a imaginar conquistas românticas, pois era um jovem bonito e encantador.

Quando, no Monte Olimpo, uma disputa ocorreu entre Hera (rainha dos deuses), Afrodite (deusa do amor sensual) e Atena (deusa da justiça) quanto à mais bela das três, Zeus decidiu que Páris, com sua rica e vasta experiência do assunto, seria o melhor juiz para o concurso. Hermes foi enviado para informar o jovem dessa dúbia honra que lhe era conferida pelo rei dos deuses.

Inicialmente, Páris recusou o pedido, sabendo muito bem que, ao escolher uma delas, as outras duas nunca o perdoariam. Mas Hermes o ameaçou com a ira de Zeus e Páris então sugeriu dividir a maçã em três partes, pois de que forma ele poderia fazer uma escolha entre tais beldades? Mas Hermes também não aceitou essa desculpa. Por conseguinte, as deusas se exibiram perante o jovem. Hera ofereceu-lhe o governo do mundo, caso a escolhesse; Atena ofereceu torná-lo o mais poderoso e justo dos guerreiros; e Afrodite simplesmente abriu a sua túnica e ofereceu-lhe o cálice do amor, prometendo-lhe a mulher mortal mais bonita do mundo como esposa.

O resultado era previsível. Sendo jovem e inexperiente com respeito aos seus valores internos, Páris escolheu Afrodite sem qualquer hesitação. O seu prêmio foi a famosa Helena, rainha de Esparta, que, inconvenientemente, era casada. Hera e Atena sorriram e prometeram que não o culpariam por sua escolha e, em seguida, saíram de braços dados confabulando a ruína de Troia. E assim começou a conflagração da guerra troiana, que se iniciou com a raiva do marido traído e terminou com a ruína total da cidade de Troia e de toda a casa real. O oráculo comprovou a sua autenticidade.

No sentido interno, o Juízo de Páris, como ficou conhecido na Mitologia, é uma imagem do primeiro grande desafio da vida em face do desenvolvimento individual: o problema da escolha no amor. Esse dilema não diz respeito unicamente à decisão entre duas mulheres ou dois homens, também se refere aos nossos valores, porque as escolhas refletem o tipo de pessoa que queremos ser. Por ser jovem e em razão de suas necessidades sexuais, Páris não pôde realmente escolher de uma perspectiva madura; sua escolha derivou de seus desejos e não de suas verdadeiras necessidades. Aqui está o problema do livre-arbítrio contra as compulsões dos instintos.

As consequências das escolhas no amor são enormes, pois afetam todos os níveis da vida. A compulsiva escolha de Páris resulta derradeiramente no grande conflito da Guerra de Troia. Aqui não se trata da escolha "errada", pois ele ainda não está centrado o suficiente para comparar a atração erótica de Afrodite com a sedução da esposa de outra pessoa. Também pouco conhece de si mesmo para decidir se o poder terreno ou a liderança de um guerreiro são igualmente importantes para ele. O concurso lhe é imposto assim como os desafios que surgem para todos nós antes que estejamos prontos para eles e, de certa maneira, o seu "erro" é necessário e inevitável. O desejo por outra pessoa implica o desenvolvimento dos valores individuais e o autoconhecimento por meio das confusões e dos conflitos que derivam de nossas escolhas. Essa situação não pode ser evitada, por ser arquetípica. Páris é a nossa parte que, governada pela incontida necessidade da satisfação do desejo, ainda não pode enxergar que todas as opções têm consequências pelas quais somos, no fim, responsáveis. Sem passar por meio da iniciação pelo fogo, não podemos entender como criamos o nosso futuro, mas colocamos a culpa no destino, no acaso ou em outra pessoa, em vez de colocá-la em nossa própria falta de reflexão.

No sentido divinatório, quando a carta dos Namorados aparece em uma abertura de cartas, ela prevê a necessidade de algum tipo de escolha, geralmente no amor. O Louco, que descobriu a sua própria dualidade, agora deve colocar os seus valores em teste. Às vezes isso significa um triângulo amoroso, mas também pode significar o problema de um casamento apressado ou a escolha entre o amor e uma carreira profissional ou alguma outra atividade criativa. Essa carta implica a necessidade de analisar cuidadosamente as consequências de nossas próprias escolhas, em vez de sermos cegamente impelidos, como Páris, a uma conflagração de graves consequências.

O CARRO

A carta do Carro retrata um bonito homem viril de cabelos castanhos encaracolados, olhos azuis e rosto corado, dirigindo uma carruagem de guerra em bronze. Ele veste armadura e elmo também em bronze e uma túnica de cor vermelho-sangue. Em sua cintura, ele carrega um escudo de bronze e, ao seu lado, uma grande lança. Ele segura as rédeas de dois cavalos, um branco e outro preto, que puxam a carruagem em direções opostas.

A estrada poeirenta passa por um cenário deserto e avermelhado, enquanto grandes nuvens se aproximam indicando uma iminente tempestade.

O cenário deserto pelo qual Ares passa não tem água – uma imagem que demonstra a falta de sentimento e de relacionamento no qual dominam os impulsos agressivos. Entretanto, Ares e Afrodite têm uma mútua atração, como se os instintos de conflito e de relacionamento estivessem ligados de alguma forma.

A lança de Ares forma o tradicional símbolo do masculino – uma imagem de poder fálico e de potência, tanto no homem quanto na mulher.

Os cavalos branco e preto, como as duas colunas na carta da Sacerdotisa, refletem o potencial para o bem e para o mal contido no instinto agressivo.

Aqui encontramos Ares, o deus da guerra, que, de acordo com a Mitologia, foi concebido por Hera, rainha dos deuses, sem o concurso da semente masculina. Como deus da guerra, as atividades de Ares se concentravam nas lutas. Seus dois escudeiros, Deimos (Medo) e Fobos (Terror) — que também diziam ser seus filhos —, acompanhavam-no nos campos de batalha. Diferentemente da deusa Atena que, como deusa guerreira, representava a estratégia e a previsão, Ares adorava o calor e a glória da batalha com uma exultante liberação de sua força ao desafiar o inimigo.

Ares não era um deus apreciado por estar associado ao conflito e ao derramamento de sangue, e Zeus e Atena não gostavam dele em razão de sua força bruta e falta de refinamento. Mas Afrodite, deusa do amor, possuía gostos diferentes. Impressionada com o vigor do formoso guerreiro que, sem dúvida, comparava ao seu pouco favorecido marido Hefesto, o deus ferreiro, ela se apaixonou por Ares. O sentimento foi logo retribuído. Ares tomou a inescrupulosa vantagem da ausência de Hefesto para desonrar a união conjugal. Mas o marido descobriu o caso adúltero e planejou uma bem engendrada vingança. Secretamente, forjou uma rede tão fina que era quase impossível de ser detectada, mas tão resistente que não podia ser quebrada. Ele colocou a rede sobre a cama em que os amantes se amavam. No encontro seguinte, no momento em que estavam repousando, Hefesto deixou cair a rede e chamou todos os deuses para testemunhar a vergonha da esposa e de seu amante. Mas a paixão de Ares ainda era ardente, apesar do ocorrido e, mais tarde, dessa sua união com Afrodite, ele gerou uma filha, Harmonia, cuja qualidade, como o nome sugere, era o equilíbrio harmônico entre o amor e a discórdia.

No sentido interior, Ares, o condutor do Carro, é a representação dos instintos agressivos guiados e direcionados pela vontade da consciência. Os cavalos que puxam o Carro em direções opostas são retratos dos nossos conflitantes impulsos animais, cheios de vitalidade e, no entanto, negando-se a trabalhar em harmonia. Eles devem ser controlados com força e firmeza, mas sem repressão e sem quebrá-los, para não perder o poder e a força para sobreviver e criar o nosso caminho de vida. Ares, o deus sem pai, de certa forma é a imagem dos instintos naturalmente agressivos e competitivos do próprio corpo, pois lhe falta o pai espiritual arquetípico que poderia provê-lo de visão e de significado. Mas a sua vontade férrea e grande coragem são uma dimensão necessária do caráter humano, pois somente a visão espiritual não basta para sobreviver em um mundo difícil e competitivo.

Tendo criado o conflito como resultado de suas escolhas amorosas, agora o Louco deve enfrentar a segunda maior lição da vida: o criativo controle dos violentos e turbulentos impulsos da natureza instintiva. Portanto, por meio da figura de Ares, o condutor do Carro, ele atinge a maturidade. Na carta dos Namorados, o Louco ainda é um adolescente impelido pelos sonhos românticos e pelo desejo de possuir um objeto maravilhoso. Mas, por meio do Carro, ele aprende a assumir as consequências de suas ações como homem e enfrenta a raiva e o conflito que ele criou dentro e fora de si mesmo. Tal como o Louco, nós — homens e mulheres — devemos aprender a lutar contra os opostos e as necessidades conflitantes dentro de nós mesmos, caso pretendamos sobreviver na selva da vida.

Na Mitologia, Ares sempre entra em conflito, seja por uma disputa irada com alguém ou pela sua brutal busca por um objeto de amor. Mas sobrevive a todas as suas humilhações e derrotas, das quais ressurge ainda mais forte. Derradeiramente, ele gera uma criança que incorpora a serenidade que pode ser encontrada ao final de um conflito criativamente administrado. A discórdia que Ares encarna é uma experiência necessária. Por mais que queiramos nos tornar espiritualmente comprometidos e nos empenhemos em amar desinteressadamente, os impulsos agressivos internos continuarão existindo. Eles podem ser deserdados e confinados no subconsciente, do qual ressurgem como uma doença ou são projetados sobre outros que, por sua vez, liberam a sua agressividade sobre nós. Mas, se pudermos enfrentar os desafios de Ares, então poderemos ser honestos a respeito dessa força interior, e o esforço para aprender a contê-la e a dirigi-la promoverá o desenvolvimento de toda a personalidade.

No sentido divinatório, quando o Carro aparece em uma abertura de cartas, ele prevê um conflito ou uma disputa que podem resultar em uma personalidade mais forte. É possível chegar a um confronto não somente com a agressão de outras pessoas, mas também com os nossos próprios impulsos competitivos e agressivos. Esse conflito não pode ser evitado, mas deve ser enfrentado com força e reserva. E, dessa maneira, o Louco alcança a harmonia aprendendo a administrar suas próprias contradições e passa do mundo da adolescência para o estágio seguinte de sua jornada.

A JUSTIÇA

Esta carta da Justiça retrata uma linda jovem vestida com armadura de guerra e elmo prateados, sentada em um trono de prata. Em sua mão direita, ela segura uma espada ereta; em sua mão esquerda, ela segura uma balança. Seus cabelos claros e túnica branca fazem eco à pureza das duas colunas e do pórtico branco que a enquadram. Sob seus pés, um piso de mármore com padrão xadrez em branco e preto. Uma coruja está pousada sobre o seu ombro esquerdo.

O piso xadrez em branco e preto sugere a capacidade da mente para integrar tanto a luz quanto a escuridão em um padrão ordenado e coerente.

A coruja é o pássaro de Atena, que reflete a clareza de visão, pois ela enxerga e caça a sua vítima na escuridão da noite.

A balança simboliza a capacidade de pesar uma coisa em comparação a outra para chegar a um juízo imparcial. Na Mitologia, dizem que Atena inventou o primeiro júri humano.

Aqui encontramos Atena, deusa da Justiça, com a qual nos deparamos na carta dos Namorados. Seu pai era Zeus, rei dos deuses, que havia sido advertido por Urano que, caso gerasse uma criança com a sua primeira esposa, Métis, deusa da sabedoria, ela seria mais poderosa do que ele. Para evitar essa eventualidade, ele engoliu Métis antes que pudesse dar à luz a criança que ela carregava. Logo após, Zeus foi acometido por uma insuportável dor de cabeça. Para curá-lo, Hefesto, o deus ferreiro, abriu-lhe a cabeça com um machado de bronze e da ferida aberta surgiu Atena completamente armada, soltando um grande grito de vitória. Com esse cenário, todos os imortais ficaram atônitos e maravilhados. A deusa tornou-se a filha favorita de Zeus e essa preferência era tão marcante que despertou o ciúme dos outros deuses.

As tendências guerreiras de Atena foram imediatamente aparentes, mas ela era diferente de Ares, o deus da guerra, em muitos aspectos. As artes da guerra que Atena cultivava não se baseavam no amor pelo conflito e pelo derramamento de sangue. Ao contrário, elas surgiam dos altos princípios e do excelente reconhecimento da necessidade de lutar para sustentar e preservar a verdade. Ela era uma estrategista e não uma guerreira insana, e equilibrava a agressão e a força física de Ares com lógica, diplomacia e inteligência. Ela protegia os bravos e os valentes, e tornou-se a protetora de muitos heróis. A proteção que oferecia a Perseu, a Ulisses e a outros guerreiros famosos consistia sempre em armas que precisavam ser usadas com inteligência, previsão e planejamento.

Atena era uma impressionante exceção na sociedade do Olimpo em razão da sua castidade. Também prestou um valioso serviço à humanidade. Ela ensinou a arte de domar cavalos e promoveu habilidades e profissões como a tecelagem e o bordado. Suas atividades diziam respeito não somente ao trabalho útil, mas também à criação artística. Por conseguinte, ela era considerada uma deusa civilizadora, embora também fosse, uma guerreira quando se tratava de proteger a pacífica civilização sob o seu cuidado.

No sentido interior, Atena, a deusa da Justiça, é uma figura da exclusiva faculdade humana do julgamento reflexivo e do pensamento racional. Para os gregos, essa faculdade era divina porque diferenciava o homem do animal. Portanto, eles consideravam Atena nascida da cabeça do grande Zeus, imune ao contágio da mãe corpórea que poderia ligá-la ao mundo físico e dos instintos dos quais compartilhamos com os animais. Os julgamentos de Atena não se

A JUSTIÇA

baseiam no sentimento pessoal, mas na objetiva avaliação imparcial de todos os fatores contidos em uma situação e nos princípios éticos estabelecidos como parâmetros rígidos próprios para qualquer escolha. A castidade de Atena pode ser considerada um símbolo de integridade e de pureza de sua faculdade refletiva, que não é influenciada pelo desejo pessoal. Seus ensinamentos das artes da civilização também refletem a capacidade da mente em manter a natureza indomada sob controle, transformando-a por meio do planejamento claro e objetivo. Sua presteza em lutar pelos princípios e não pelas paixões surge da capacidade mental em fazer escolhas baseadas na reflexão, mantendo os instintos sob controle.

A carta da Justiça é a primeira das quatro cartas dos Arcanos Maiores que tradicionalmente eram chamadas de Quatro Lições Morais. Essas cartas — a Justiça, a Temperança, a Força e o Eremita — referem-se ao desenvolvimento das faculdades individuais necessárias para que funcionemos efetivamente na vida. Todas contribuem para o que a Psicologia denomina de a formação do ego, o que significa o sentido do "eu" que todos nós devemos ter para poder experimentar um sentido de merecimento e de valor na vida, e para enfrentar os desafios da vida a partir de uma base estável e propriamente individual.

O Louco, que passou pelos dois grandes desafios da juventude — o desejo erótico e a agressão —, agora enfrenta a necessidade de construir o seu caráter e desenvolver as faculdades que o ajudarão a lidar com as incontáveis experiências da vida. Portanto, quando o Louco se encontra com Atena, deusa da Justiça, ele deve aprender como pensar claramente e como cultivar a faculdade de uma mente equilibrada. Ele deve aprender a pesar uma e outra coisa — algo que ainda não podia fazer na carta dos Namorados — e chegar ao julgamento mais imparcial possível. A Justiça não é possível se não respeitarmos a imparcialidade e a verdade como importantes princípios éticos, em vez de um bom comportamento adotado ao querermos ser apreciados pelas outras pessoas. Atena ergue-nos acima da natureza e representa os nossos esforços para a perfeição concebida pela mente humana e pelo espírito.

A JUSTIÇA

No sentido divinatório, quando a Justiça aparece em uma abertura de cartas, ela implica a necessidade de um pensamento equilibrado e de uma tomada de decisão imparcial. Mas, tal como a espada de Atena, essa carta possui duas facetas. Existem fases da vida nas quais a fria reflexão de Atena é gelada demais, muito idealista e destrutiva do calor do relacionamento pessoal. Sua espada pode cortar o coração com verdades gerais que não se adaptam a uma situação particular. Dessa forma, a Justiça, como todos os Arcanos Maiores, é uma figura ambivalente. O Louco deve desenvolver o que Atena representa, mas não pode permanecer eternamente em seu templo puro e deve passar adiante para a Lição Moral seguinte.

A TEMPERANÇA

A carta da Temperança retrata uma linda e jovem mulher de cabelos pretos, trajando túnicas com as cores do arco-íris, e asas com cores de várias tonalidades. Ela está com um dos pés dentro de um rio, límpido e o outro sobre a terra seca. Ao longo das margens do rio crescem lírios vermelhos. Atrás dela, um arco-íris estende-se pelo céu. Em suas mãos ela segura dois cálices, um de ouro e outro de prata, e despeja água de um para o outro.

O arco-íris que aparece com o brilho do Sol em meio a nuvens que se afastam simboliza a promessa e a renovação do relacionamento. Também é uma ponte entre o Céu e a Terra, novamente sugerindo o relacionamento.

Os cálices de ouro e prata referem-se ao Sol e à Lua, masculino e feminino, consciência e inconsciência, reunidos pelo fluxo do sentimento.

A polaridade da água e da terra em que crescem os lírios reflete novamente a sua capacidade de unir os opostos dentro do indivíduo.

Aqui encontramos Íris, a deusa do arco-íris e mensageira de Hera, rainha dos deuses. Íris era a contraparte feminina de Hermes, o emissário de Zeus, e era amada tanto pelos deuses quanto pelos mortais por causa de sua natureza bondosa e afetuosa. Se Hera ou Zeus quisesse transmitir uma mensagem aos homens, Íris voava ligeiramente para a Terra, onde assumia feições humanas ou aparecia em sua forma divina. Ela fendia o ar tão rápido quanto o próprio vento Zéfiro, que era o seu consorte. Outras vezes ela deslizava pelo arco-íris que fazia ponte entre o Céu e a Terra. Ela transpunha as águas com a mesma facilidade e, até, o Submundo abria-se para ela quando, a pedido de Zeus, ali se dirigia para reabastecer o seu cálice com água do rio Estige, da qual os imortais se serviam para se proteger dos feitiços malignos. Quando os deuses voltavam de suas jornadas para o Olimpo, Íris desatrelava os cavalos de suas carruagens e servia néctar e ambrosia aos viajantes.

Íris não somente entregava as mensagens de Hera, mas também executava as suas vinganças, apesar de, mais frequentemente, oferecer ajuda e assistência. Ela preparava o banho de Hera, ajudava-a com a sua toalete e, dia e noite, permanecia ao pé do trono de sua patroa. Em uma versão da Mitologia, foi Íris e não Afrodite que deu à luz Eros, o deus do amor.

No sentido interior, Íris, deusa do arco-íris, é uma imagem da segunda das qualidades ou faculdades que o Louco deve aprender para formar uma individualidade estável: um coração equilibrado. Enquanto Atena, que incorpora a Justiça, é justa e objetiva, Íris, que incorpora a Temperança, é boa e misericordiosa, e a sua compaixão não é enjoativa nem sentimental. Íris está ligada à função do sentimento, que é diferente do que chamamos de emoção, pois esta é a reação visceral de uma situação, enquanto o sentimento é uma ativa e inteligente faculdade de escolha. A função do sentimento é ser ponte em constante mudança entre os opostos, um atencioso sentido das necessidades de uma situação particular visando à harmonia e ao relacionamento como meta final. E assim, Íris despeja água incessantemente de um cálice para o outro, porque o sentimento deve fluir de modo constante e ser renovado de acordo com os requisitos de cada momento. Se os preceitos éticos de Atena são necessariamente estáticos e universais, o objetivo da harmonia de Íris exige um perpétuo ajuste fluido de sentimento, algumas vezes positivo e outras vezes negativo. Dessa forma, ela pode oferecer uma atenciosa assistência ou executar a vingança de Hera. Mas derradeiramente ela serve aos propósitos femininos em vez dos masculinos, e qualquer que seja a resposta mutante do

A TEMPERANÇA

fluxo — até mesmo raiva e conflito —, a meta é sempre a cooperação, a harmonia e um relacionamento melhor.

Geralmente não pensamos em sentimento como uma função inteligente, como ocorre com o pensamento racional. No entanto, as duas cartas, a Justiça e a Temperança, são consideradas tanto opostas quanto complementares. Atena e Íris são duas imagens contraditórias, uma servindo o Pai de cuja cabeça nascera; a outra, a Mãe; uma sustentando a verdade abstrata mesmo à custa do coração individual, a outra protegendo o coração individual mesmo à custa da verdade abstrata. Apesar de essas duas deusas não serem inimigas na Mitologia — pois Íris não tinha inimigos —, no entanto elas podem ser inimigas dentro de nós, pois muitas vezes oferecerão diferentes soluções para um mesmo problema. Em que se baseia a nossa decisão: no pensamento racional ou nos ditames do que os nossos sentimentos indicam ser o caminho apropriado para a preservação do relacionamento? A presença dessas duas figuras em sequência nos Arcanos Maiores sugere que o Louco, representando cada um de nós, deve integrar ambas. Por isso, tendo aprendido por meio de Atena a pensar claramente, o Louco encontra Íris, a deusa do arco-íris, e deve aprender a delicada avaliação do sentimento que é tão diferente da primitiva emoção reativa ou do sentimentalismo hipócrita.

Mas até Íris, a deusa do arco-íris, pode ser ambivalente. A constante mudança de sentimento para preservar o relacionamento pode produzir a estagnação, porque nada além do sentimento pode fazer com que seja impossível respirar. Nada pode ser falado a respeito, nenhuma diferença discutida, nenhum conflito que possa levar ao crescimento, porque a harmonia é tudo. Esse estado não permite espaço para a separação porque ela ameaça a solidão, e Íris, amiga tanto dos deuses como dos mortais, podendo funcionar em todos os níveis da vida, deverá sempre servir alguém com devoção e não pode existir em seu próprio direito. Portanto, a Temperança sem a Justiça torna-se água estagnada, na qual nenhuma mudança é permitida ocorrer e a mente sufoca de mero tédio.

A TEMPERANÇA

No sentido divinatório, quando aparece a Temperança na abertura de cartas, ela implica a necessidade de um fluxo de sentimento no relacionamento. Íris, a guardiã do arco-íris, sugere o potencial para a harmonia e a cooperação, resultando em um bom relacionamento ou em um casamento feliz. Somos desafiados com o problema de aprender a desenvolver um coração equilibrado e, ao mesmo tempo, sermos gentilmente lembrados de que o Louco não pode permanecer para sempre até mesmo com a linda Íris, e deve passar adiante para a Lição Moral seguinte.

A FORÇA

A carta da Força retrata um homem musculoso e poderoso com cabelos castanhos encaracolados, vestindo apenas uma tanga vermelha. Ele está embrenhado em uma luta selvagem com um leão envolvendo seus fortes braços no pescoço do animal; no momento crítico ele está vencendo a luta.
Rodeando os dois, as paredes rochosas de uma caverna escura. Pela entrada da caverna é possível ver um cenário árido de colinas marrons.

O leão somente pode ser conquistado com as mãos; ali não existem ferramentas feitas pelo homem ou qualquer atalho, mas unicamente os próprios recursos.

A escuridão da caverna assemelha-se à escuridão do inconsciente no qual os instintos primitivos residem, invisíveis à percepção comum.

Héracles veste a cor vermelho-sangue de Ares, com o qual nos deparamos na carta do Carro, porque ele já aprendeu a lição de controlar a sua agressividade, dirigindo-a para uma finalidade criativa.

Aqui encontramos o grande guerreiro Héracles, chamado Hércules pelos romanos, que na Mitologia era o herói invencível. Ele era o filho de Zeus, rei dos deuses, com uma mortal chamada Alcmena. A esposa de Zeus estava, como de costume, com ciúme da criança nascida do adultério do marido, dessa maneira o perseguiu com terríveis castigos. Ela fez com que ficasse louco e, em sua loucura, inadvertidamente assassinou a sua esposa e seus filhos. Héracles pediu aos deuses que lhe dessem alguma tarefa para expiar os seus crimes, e o oráculo de Delfos ordenou-lhe que se sujeitasse a 12 anos de trabalhos forçados a serviço do terrível rei Euristeus que Hera favorecia. E assim, o herói sujeitou-se voluntariamente a servir o favorito da deusa, que o perseguiu em reparação de um crime do qual ela era, definitivamente, a responsável.

O primeiro dos famosos Doze Trabalhos que o rei Euristeus exigiu de Héracles era a conquista do Leão da Nemeia, um enorme animal cuja pele era à prova de ferro, bronze e pedra. Como o leão havia despovoado a vizinhança, Héracles não pôde encontrar ninguém que o dirigisse à sua toca. Finalmente, ele encontrou o animal lambuzado de sangue de sua última vítima. Héracles disparou uma série de flechas, que não conseguiam penetrar a sua grossa pele. Em seguida, usou a sua espada, que simplesmente acabou se dobrando; depois usou o seu bastão, que se despedaçou na cabeça do leão. Então Héracles cobriu uma das entradas da caverna em que o leão se escondia com uma rede e entrou na caverna pelo outro lado. O leão arrancou-lhe um dos dedos, mas Héracles conseguiu agarrá-lo pelo pescoço e o sufocou até a morte com suas próprias mãos. Ele então lhe cortou a pele com uma de suas e afiadas garras e passou a usá-la sempre como armadura e a cabeça como elmo, tornando-se tão invencível quanto o próprio leão.

No sentido interior, Héracles lutando com o Leão da Nemeia é a imagem do problema em conter o poderoso e selvagem animal dentro de nós, preservando, ao mesmo tempo, as qualidades animais que são criativas e vitais. O leão é um tipo especial de animal e reflete um aspecto diferente da psique humana, quando o comparamos aos cavalos fogosos da carta do Carro. Na Mitologia, o leão sempre foi associado com a realeza, mesmo quando está em seu estado mais destrutivo, e esse rei dos animais é, ainda, a imagem de um início infantil, selvagem e totalmente egocêntrico de uma especial individualidade. Portanto, o Leão da Nemeia não é totalmente mau e possui uma pele mágica que pode oferecer invencibilidade. Essa

A FORÇA

invencibilidade está ligada ao sentido de permanência interior que procede de um sólido sentido do "eu". Quando vestimos a pele do leão que conquistamos, as opiniões das outras pessoas — os grandes "Eles" que amedrontam os corações dos tímidos — pouco significam, pois estamos armados com o nosso próprio sentido indestrutível de identidade.

Por mais prometedor que seja o seu potencial, o leão é selvagem e cruel em sua forma animal. Esse lado de uma pessoa descontrolada é o impulso do "eu primeiro" que, sem pensar duas vezes, destrói qualquer um ou qualquer coisa em seu caminho, desde que a sua gratificação seja assegurada. A raiva é uma das manifestações desse impulso — não uma raiva sadia que seria apropriada para a situação, mas explosiva e furiosa quando não conseguimos o nosso intento. O orgulho implacável é outra de suas facetas — não o autorrespeito, mas uma bombástica e inchada autoimportância que pode nos tornar selvagens e rígidos com aqueles dos quais dependemos ou que nos roubam o centro das atenções. De muitas formas, o leão, como a criança irada em nós, exige que o mundo esteja à nossa volta, destruindo cega e aleatoriamente quando isso não acontece. Mas, se esse animal for conquistado, então podemos apropriar-nos de sua pele mágica que, em termos psicológicos, significa integrar o poder vital da besta, fazendo com que sirva a um ego consciente e responsável. Por conseguinte, a conquista do leão não é verdadeiramente uma morte, mas uma espécie de transformação, de maneira que a força e a determinação do animal sejam expressas por um humano, e não por um animal. Aqui está a ambivalência da carta da Força, pois Héracles poderia simplesmente destruir o animal sem que qualquer benefício fosse extraído do massacre. Essa é a faceta negativa de Héracles dentro de nós: o tipo de força que reprime todo instinto sem qualquer transformação, deixando para trás uma concha dentro da qual vive uma alma sem paixão, sem ira e sem uma verdadeira identidade.

No sentido divinatório, quando a carta da Força aparece em uma abertura de cartas, ela implica uma situação na qual um embate com

A FORÇA

o leão interior é inevitável, sendo necessário o controle da raiva e do orgulho insensato. Coragem, força e autodisciplina são solicitadas para enfrentar a situação. Por meio dessa experiência podemos entrar em contato com o animal, mas também com uma parte nossa que é representada por Héracles, o herói que pode domá-la. Portanto, tendo desenvolvido as faculdades da mente e o sentimento, o Louco agora aprende a lidar com o seu próprio exclusivismo, surgindo desse encontro com confiança em si e integridade para com o próximo.

O EREMITA

A carta do Eremita retrata um ancião de barba branca envolto em túnica cinza, tendo seu rosto meio encoberto por um capuz. Em sua mão direita, ele carrega uma lanterna que brilha em uma luz dourada; na mão esquerda, uma foice. Um corvo está pousado em seu ombro. Atrás dele, um cenário frio e enevoado de montanhas cinzas sob um céu carregado e opressivo.

A lanterna que Cronos carrega é a luz da percepção e do conhecimento, angariados pela solidão e pela paciente espera que a carta do Eremita implica.

O corvo é o pássaro de Cronos, pois se acredita que seja a encarnação do espírito do velho rei que morreu para abrir caminho para o novo ciclo.

A lâmina da foice em forma de crescente também representa a Lua, doada a Cronos por sua mãe Gaia, simbolizando as eternas flutuações e os ciclos do tempo.

Aqui encontramos o antigo deus Cronos, cujo nome significa Tempo. Na Mitologia, Urano (o Céu) e Gaia (a Terra) uniram-se e geraram a primeira raça, os Titãs ou deuses da Terra, entre os quais Cronos era o mais jovem. Mas Urano considerava a sua progênie com horror, pois eram todos feios, imperfeitos e de carne. Por conseguinte, ele trancou os Titãs nas profundezas do Submundo para que não ofendessem a seus olhos. Mas Gaia irritou-se e planejou vingar-se do marido. De seu peito, retirou uma pedra de sílex e modelou uma afiada foice que ela deu ao astuto Cronos, seu filho mais jovem. Ao cair da noite, Urano chegou em casa como de costume. Enquanto seu pai quanto dormia, com a ajuda de sua mãe, Cronos armou-se da foice e castrou Urano, jogando seus genitais ao mar.

Cronos então libertou seus irmãos e tornou-se soberano da Terra. Sob o seu longo e paciente reinado, o trabalho da Criação foi completado. Essa época na Terra ficou conhecida como a Era de Ouro, em razão da abundância sobre a qual Cronos presidia. Como deus do Tempo, ele presidiu e administrou a passagem das estações, o nascimento e o crescimento seguidos pela morte, gestação e renascimento; era venerado tanto como o Anjo da Morte, que estabelecia os limites que o homem e a natureza não podiam ultrapassar, quanto o deus da fertilidade. Mas o próprio Cronos não podia aceitar as leis cíclicas que havia estabelecido, pois, quando foi profetizado que um dia o seu filho o destronaria, como fizera com o seu próprio pai Urano, passou a engolir os seus filhos assim que nasciam, para que pudesse preservar o seu domínio. E assim continua a história de Zeus contada na carta do Imperador e que, na Mitologia, derrubou Cronos e se estabeleceu no reino dos deuses do Olimpo. Alguns dizem que Cronos foi banido para as profundezas do Submundo, mas outros dizem que foi para as Ilhas Abençoadas onde dorme, esperando o início de uma nova Era de Ouro.

No sentido interior, Cronos, o Eremita, é a imagem da última das quatro Lições Morais que o Louco deve aprender: a lição do tempo e as limitações da vida mortal. A ninguém é permitido viver além de seu tempo e nada permanece imutável; e essa é uma simples e óbvia faceta da vida que, apesar de sua simplicidade e do fato de ser evidente, para nós é doloroso aprender e da qual muitas vezes nos conscientizamos já com certa idade e com a dura experiência. Cronos é um deus que incorpora o significado do tempo e, assim mesmo, ele não o aceita. Então ele é humilhado e destronado, e aprende a ser sábio na solidão e no silêncio. De muitas maneiras, é a imagem do próprio corpo que inexoravelmente envelhece e, no entanto, revolta-se contra o seu mortal destino. O problema da solidão e de descobrir que derradeiramente somos sós e mortais são dilemas que todos os seres humanos devem enfrentar. Aceitar essa condição também é, de certa forma, uma verdadeira separação interna dos pais e da infância, pois significa o sacrifício da fantasia que algum dia, em algum lugar, alguém virá e fará com que tudo melhore. "E então eles viveram felizes para sempre" é um sentimento que não pode sobreviver no mundo de Cronos. A juventude passa para a maturidade e nunca pode ser recuperada de maneira concreta. Mas a memória e a sabedoria são adquiridas com o passar do tempo, assim como o dom da paciência.

A lição do Eremita só pode ser aprendida por meio de lutas e conquistas. Cronos é a contraparte de Héracles, pois a luta não para o tempo. Somente a aceitação do tempo dará direito aos prêmios da Idade de Ouro de Cronos. Por meio da limitação imposta e das circunstâncias que somente o tempo, e não a luta, pode liberar, o Louco desenvolve a postura reflexiva, introvertida e solitária de Cronos, o Eremita. De certa maneira, Cronos é uma imagem de humildade que frequentemente se inicia pela humilhação diante do que não podemos mudar, mas que pode resultar em uma qualidade de calma e de serenidade sem as quais não poderemos suportar os obstáculos e as desilusões que a vida, às vezes, nos reserva. Entretanto, por mais sábio que seja o intelecto, por mais quente que seja o coração, por mais forte que seja o sentido de identidade, as vicissitudes da vida nos esmagariam se fôssemos incapazes de encontrar em nós mesmos a paciência e a prudência do Eremita, que nos ensina como suportar e esperar em silêncio. A face negativa de Cronos é a calcificação, uma resistência teimosa à mudança e à passagem do tempo. Mas a face criativa desse deus antigo e ambivalente é a sagacidade para mudar o que pudermos, para aceitar o que não pudermos e para esperar em silêncio até conhecermos suas diferenças.

No estado divinatório, a carta de Cronos, o Eremita, prevê um tempo de solidão ou de isolamento das atividades extrovertidas da vida, para que a sabedoria da paciência possa ser adquirida. Há uma oportunidade para estabelecer fundamentos sólidos, se tivermos vontade de esperar. E assim, o Louco finalmente atinge a maturidade, havendo desenvolvido uma mente e um coração, um firme sentido de identidade e, finalmente, um profundo respeito por suas próprias limitações na grande passagem do tempo.

A RODA DA FORTUNA

A carta da Roda da Fortuna retrata três mulheres sentadas dentro de uma caverna escura. A primeira é jovem e tece em uma roca dourada. A segunda é elegante e madura, e mede o comprimento de um fio entre as suas mãos. A terceira é de mais idade e segura um par de tesouras. No centro, entre elas, há uma roda dourada ao redor da qual quatro figuras humanas são colocadas em posições diferentes. Pela abertura da caverna, um cenário com muito verde é visível.

A caverna sugere tanto o útero do qual surge a vida quanto a tumba para a qual ela retorna – o início e o fim do destino.

As três idades das Moiras refletem as fases lunares – a crescente, a cheia e a minguante –, os três estágios da vida humana.

O fio que as Moiras tecem, medem e cortam é assemelhado ao processo de geração do corpo que ocorre no útero, sugerindo que o destino está intimamente ligado à hereditariedade e ao próprio corpo.

Aqui encontramos as três deusas do Destino que os gregos chamam de Moiras ou Parcas. Na Mitologia, as Moiras eram filhas da Mãe Noite, concebidas sem pai. Cloto fiava, Láquesis media e Átropos, cujo nome significa "aquela que não pode ser evitada", cortava. As três teciam o fio da vida humana na escuridão secreta da caverna e seus trabalhos não podiam ser desfeitos por deus algum, nem mesmo por

Zeus. Uma vez que o destino de um indivíduo fosse tramado, ele seria irrevogável e não poderia ser alterado; e a extensão de vida e a época da morte fariam parte do destino que as Moiras estabelecessem. Se alguém tentasse desafiar o destino, tal como alguns heróis o fizeram, ele era afetado pelo que se chamava de "hubris" ou "hybris", que significa arrogância aos olhos dos deuses. É claro que esse indivíduo não podia fugir ao seu destino e, às vezes, sofria um terrível castigo infligido pelos deuses por tentar superar os limites estabelecidos pelas Moiras. Dizem que certa vez Apolo, o deus-Sol, zombou e embriagou as Moiras para poder salvar da morte o seu amigo Admeto. Mas geralmente se acreditava que o próprio Zeus temia as donas do destino por não serem filhas de qualquer deus, mas a progênie das profundezas da Noite, o mais antigo poder do Universo.

No sentido interior, as três Moiras, detentoras da Roda da Fortuna, apresentam a imagem de uma profunda e misteriosa lei agindo no indivíduo, desconhecida e ainda invisível, que parece precipitar repentinas mudanças e subverter os padrões estabelecidos da vida. As quatro figuras na Roda da Fortuna representam as diferentes experiências da jornada, pois, quando a vida age dessa maneira, no início não nos preocupamos em procurar a fonte por de trás da Roda, mas sim nossas reações à mudança. O homem no topo foi impulsionado para o sucesso pelo giro da Roda, enquanto o homem no fundo foi esmagado pelo que ele acredita ser "azar" — sem sorte alguma —, quando, na realidade foi a evidente ação de algum misterioso padrão. O homem à direita iniciou a sua subida, ajudado pelo mesmo poder invisível que coroou uma pessoa e derrubou outra; enquanto o homem à esquerda, contra a sua vontade, iniciou a sua descida, pois a Roda girou e a sua "sorte" está se exaurindo.

Entretanto, a carta da Roda da Fortuna não diz respeito às mudanças bruscas da sorte, do acaso ou por acidente. Atrás da Roda estão as Moiras que planejam de maneira inteligente e organizada as aparentes mudanças aleatórias da vida. Essas figuras antigas estão dentro de nós, bem no fundo do útero do inconsciente, e não fazem parte da personalidade consciente. Nós somente as percebemos por

A RODA DA FORTUNA

meio dos efeitos externos que parecem ser obra do Destino, mas que surgem das profundezas de nossa alma e não de um poder externo.

Na realidade, a experiência da Roda da Fortuna é a vivência daquele "Outro" dentro de nós que, geralmente, projetamos no mundo exterior para poder culpar as pessoas, além de nós mesmos, pelas bruscas mudanças de sorte. O giro da Roda da Fortuna nos obriga a estarmos conscientes desse "Outro", o movimento inteligente que está por trás da Roda e que é o destino que todos temos dentro de nós mesmos. A imagem da própria Roda é profunda, pois seu aro giratório assemelha-se ao cenário em constante movimento com o qual nos deparamos durante a vida; porém o eixo está sempre no centro, uma essência ou fonte constante e imutável. O eixo é como o "eu" oculto que "escolhe" (apesar de não ser uma escolha do ego consciente) voltar-se para as várias situações, acontecimentos, caminhos e pessoas. O Destino não vem ao nosso encontro; ao contrário, somos nós que nos dirigimos a ele. Na carta da Sacerdotisa, o Louco descobre a faculdade intuitiva dentro de si, personificada por Perséfone, que pode entrever o padrão em ação.

Na carta da Roda da Fortuna, o Louco encontra o poder que tece o padrão, a própria fonte de vida, distante e invisível, mais antigo do que os mais antigos deuses, com um domínio tão absoluto que nem sequer o rei dos deuses ousa desafiar. Até o espírito está sujeito aos comandos desse centro invisível que os gregos representaram com as Moiras e que desmantelam a nossa complacência e a nossa ilusão de controle.

É possível que a dificuldade e até o medo que algumas pessoas têm com respeito ao estudo do Tarô, da Astrologia[*] e de outras práticas proféticas sejam, em parte, devidos à ansiedade que surge quando a personalidade consciente, acostumada a tomar decisões e com a ilusão da vontade onipotente, confronta-se com esse "Outro" nas profundezas. Apesar de também nos pertencer, não está em nosso poder

---

[*]N.E.: Sugerimos a leitura das obras *Astrologia e Mitologia,* de Ariel Guttman e Keneth Johnson e *Curso de Astrologia*, de Cristina B. Tigre, ambas da Madras Editora.

controlá-lo, assim como Zeus temia as Moiras. Por conseguinte, a Roda da Fortuna é mais do que um indicador de mudança. Ela é o emissário de uma profunda jornada interna pela qual o Louco, a nossa própria imagem, gradativamente chega a termos com o seu próprio destino.

No sentido divinatório, a Roda da Fortuna prevê uma mudança repentina da sorte. Isso pode ser tanto no sentido positivo quanto no negativo, mas, independentemente de como gira, ela sempre promove o crescimento e uma nova fase da vida. Não podemos prever o que virá ao nosso encontro — ou melhor, qual será a transformação. Mas por trás dessas mudanças estão as Moiras, uma imagem do centro dentro de nós mesmos. Portanto, o Louco é despertado de sua acomodação e começa a descida para a sua própria fonte.

O ENFORCADO

A carta do Enforcado retrata um homem maduro, de cabelos e barba castanhos. Apesar de estar acorrentado em posição invertida, quase nu à beira de um precipício, ele ainda mantém uma expressão serena em seu rosto. Atrás dele, apresenta-se um cenário obscuro de rochas escarpadas, enquanto o Sol do crepúsculo reflete um brilho sanguíneo em seu corpo e ilumina a sua cabeça. Acima dele, uma águia se aproxima.

O crepúsculo do Sol sugere o decrescente brilho de luz da consciência e da vontade.

A posição de Prometeu implica que a cabeça – a mente racional – não está mais em controle. Tal como o crepúsculo do Sol, a imagem simboliza a descida do espírito na escuridão do inconsciente.

O fígado que, no mito, foi atacado pela águia de Zeus era associado ao espírito e à esperança. O tormento de Prometeu é a imagem da perda de fé que, no ensino místico, é chamada de "noite obscura da alma", na qual somente é possível esperar, sem uma confiante visão de como tudo irá terminar.

Aqui encontramos Prometeu, o Titã que desafiou a lei de Zeus roubando o fogo dos deuses para entregá-lo ao homem, que sabia muito bem que sofreria as consequências. O nome Prometeu significa "antevisão", e o Titã possuía o dom da profecia. Na Mitologia, também se dizia que ele criou o homem a partir da terra e da água de suas próprias lágrimas, enquanto Atena soprou vida na criatura.

Prometeu tinha uma profunda compaixão pela sorte da humanidade por ele ser o seu criador.

Mas Zeus confirmava a sua divina supremacia sobre os homens ocultando-lhes o fogo. Isso significava a falta de progresso e de iluminação, pois sem o fogo o homem era condenado a viver como um animal, alimentando-se de carne crua e escondendo-se em cavernas. Prometeu pegou um pouco do fogo sagrado da forja de Hefesto, escondeu-o no caule oco de um funcho e levou-o para a Terra.

Indignado com o roubo, Zeus resolveu exterminar a humanidade por meio de uma inundação a fim de destruir os culpados, pois ele não somente havia sido ferido em seu orgulho, mas com o fogo o homem poderia tentar tornar-se divino. Mas Prometeu advertiu seu filho Deucalião, que construiu uma arca e nela embarcou com sua esposa Pirra. A inundação durou nove dias e nove noites e no décimo dia o dilúvio cessou e Deucalião ofereceu sacrifício a Zeus. Tocado com sua piedade, o rei dos deuses concordou com o seu pedido de renovar a raça humana.

Mas Prometeu não teve a mesma sorte. Como havia previsto, Zeus prendeu-o com correntes indestrutíveis em um alto despenhadeiro nas montanhas do Cáucaso. Todos os dias uma águia descia das alturas para devorar o seu fígado, que a cada noite se refazia para que a tortura fosse mantida indefinidamente. Após trinta anos, Zeus permitiu que ele fosse resgatado por Héracles, que matou a águia e quebrou as correntes do prisioneiro. Prometeu tornou-se imortal e passou a usar um anel de um dos elos da corrente que o prendia como símbolo de seu cativeiro enquanto a grata humanidade erigia altares para honrar o seu benfeitor.

No sentido interior, Prometeu, o Enforcado, é o retrato do sacrifício voluntário para um bem maior. O sacrifício pode ser representado por uma atitude externa ou interna, mas é realizado voluntariamente, aceitando o sofrimento que possa ser exigido. Na carta da Roda da Fortuna, o Louco depara-se com os bruscos golpes da sorte que provocam mudanças extremas na vida. Mas nós, tal como o Louco, podemos corresponder a essas mudanças de várias formas. Algumas

O ENFORCADO

pessoas não conseguem se adaptar e continuam agarrando-se ao passado. Outras se tornam amargas e culpam a vida, Deus, a sociedade ou qualquer outra pessoa. A figura de Prometeu é um símbolo da nossa parte que possui a percepção necessária para compreender que essas mudanças podem ser úteis no desenrolar de um padrão interno que ainda não está claro. Por conseguinte, o Titã representa uma atitude de submissão voluntária para com aquele centro misterioso cujos padrões dependem dos giros da Roda.

Prometeu, o Enforcado, implica a aceitação da espera na escuridão. Ele está suspenso, torturado pela ansiedade e pelo medo de que o seu sacrifício possa ter sido em vão e, no entanto, mantém uma expressão serena. E, finalmente, a sua tortura o transforma, assim como o seu relacionamento com os deuses, pois o dom da imortalidade lhe é concedido. De muitas formas, Prometeu abre mão do controle para que um novo e maior sentido de vida possa emergir. Como Prometeu criou o homem, pode-se dizer que ele mesmo também o fosse — uma espécie de espírito visionário dentro de nós que enxerga maiores possibilidades e está disposto a abandonar tudo o que anteriormente mantínhamos como sagrado para conseguir essa consciência maior. Como resultado, inicialmente Prometeu torna-se extremamente vulnerável, pois, se estivermos preparados a fazer esse sacrifício em confiança, então estaremos abertos para a vida, e ela poderá nos machucar. Mas o preço dessa entrega de defesas e a realização dessa jornada na solidão e na dúvida parecem ser necessárias para que tudo o que nos sustenta tenha um sentido real quando não pudermos nos sustentar.

Isso é o que as religiões querem dizer com a verdadeira fé que somente pode ser adquirida por meio de nossas experiências na vida. A carta do Enforcado é um desabrochar natural da Roda da Fortuna, pois implica a disposição em confiar naquele "Outro" que sabe, melhor do que o ego, o que pode ser necessário e correto para o nosso desenvolvimento.

No sentido divinatório, Prometeu, o Enforcado, prevê a necessidade de um sacrifício voluntário com o propósito de adquirir algo de maior valor. Esse pode ser o sacrifício de algo externo que anteriormente proporcionou segurança, na esperança de que algum potencial possa ter espaço para o seu desenvolvimento. Ou pode ser o sacrifício de uma atitude preferida, como a superioridade intelectual, ou um ódio inesquecível ou uma busca insistente por uma fantasia inatingível. Dessa forma, o Louco responde ao desafio do giro da Roda com uma disposição em colocar a sua confiança nas tramas invisíveis do inconsciente e aguarda — muitas vezes com medo e ansiedade — na esperança de uma vida nova e melhor.

A MORTE

A carta da Morte retrata uma figura envolta em uma túnica preta e seu rosto escondido por um elmo escuro. Suas mãos estão abertas para receber os presentes oferecidos pelos pequenos humanos que se ajoelham diante dela. Um deles lhe oferece uma coroa dourada e outro, uma pilha de moedas. O terceiro, uma criança, oferece-lhe uma flor. Atrás dessa figura sombria, flui um rio escuro. Do lado mais próximo do rio, a terra é seca e árida. Do outro lado, a terra verdejante é gradativamente iluminada pelo Sol que está apenas surgindo no horizonte.

O rio Estige, que significa "odiado", era visto como um rio terrível e opressivo, pois representa um estágio pelo qual devemos passar para poder alcançar as riquezas do Submundo. Esse é o estágio da tristeza e do luto, tão necessários quanto a alegria e as comemorações.

O Sol que surge no horizonte anuncia um novo futuro, mas as almas ajoelhadas diante de Hades ainda não o percebem.

A criança que oferece a flor é a imagem da con fiança infantil na mudança que pode nos ajudar a lidar com o processo do luto. Somente a criança não tem medo de expressar a tristeza.

Aqui encontramos Hades, o deus sombrio e senhor do Submundo, com o qual nos deparamos na carta da Imperatriz como o raptor de Perséfone, filha de Deméter. Na Mitologia, Hades era conhecido como o Invisível. Ele também era chamado de Plutão, que significa "riqueza", porque o seu reino era repleto de riquezas escondidas. Hades, filho dos Titãs Cronos e Réa, foi salvo por seu irmão Zeus quando Cronos engolira os seus filhos. Zeus então concedeu a Hades o domínio do Submundo como parte da herança. Sobre esse mundo, o deus sombrio governava como dominador absoluto. Quando emergia para o mundo da luz, o seu elmo o tornava invisível para que nenhum mortal o visse. Os rituais da morte exigiam que uma moeda de ouro fosse colocada na boca do morto, pois sem essa oferta a Hades a alma seria condenada a vagar eternamente às margens do rio Estige, à beira do reino do Submundo.

Apesar de ser-lhe conferido menos *status* do que ao seu irmão Zeus, ele tinha um poder maior, porque a sua lei era irrevogável. Uma vez que uma alma entrava no domínio de Hades, nenhum deus, nem sequer o rei dos deuses, poderia resgatá-la. Apesar de alguns heróis, como Orfeu e Teseu, entrarem ilicitamente no reino de Hades enganando o barqueiro Caronte e conseguindo passar por Cérbero, o cão que guarda a entrada, nenhum deles voltou para o mundo da luz da mesma forma. O poder irrevogável de Hades era tal que os deuses juravam seus votos solenes e suas maldições pelas águas do rio Estige, que era veneno puro e, ao mesmo tempo, conferia a imortalidade.

No sentido interior, Hades, o Senhor da Morte, é a figura permanente e final do ciclo da vida. Quando mudamos, uma nova atitude ou circunstâncias novas podem surgir, mas o caminho anterior está morto e nunca mais voltará à sua forma original. Portanto, Hades é o símbolo daquela finalidade que experimentamos em todos os encerramentos, assim como sua túnica preta é o símbolo do luto, necessário para o preparo do novo ciclo.

Na carta do Enforcado, deparamo-nos com a experiência da submissão voluntária às leis ocultas da psique — a decisão de abandonar algo na esperança de que uma nova fase da vida possa emergir. Hades, o Senhor da Morte, representa aquele estado intermediário o qual somos levados a enfrentar com a total finalidade de nossa perda, antes do início de uma nova evolução.

A carta da Morte não simboliza necessariamente um final "negativo". A experiência do final irrevogável pode significar acontecimentos alegres como um casamento ou o nascimento de uma criança. Mas esses acontecimentos não somente têm a conotação de um novo início, como também podem significar a morte de um velho estilo de vida e essa perda deve ser reconhecida e lamentada. E é por isso que temos os modernos rituais como, por exemplo, a despedida de solteiros, que reconhece a perda de um estado civil. Muitas vezes as mulheres (como também os homens) ficam terrivelmente deprimidas com o nascimento de uma criança, porque ainda não houve o reconhecimento de que uma fase da vida morreu e que algo novo nasceu. Assim, uma moeda deve ser paga a Hades, porque ele preside a todos os finais e aos novos começos, sendo que o final é tão importante quanto o começo, devendo ser reconhecido e sentido. Vamos para o Submundo totalmente nus, pois não podemos levar conosco os antigos padrões e atitudes que nos haviam proporcionado segurança.

Por conseguinte, a carta da Morte não é uma descrição da morte física, mas a inevitável mudança dos ciclos da vida que sempre envolvem uma finalização. Aos olhos de Hades, a vida pode ser considerada como uma sequência de mortes, começando com o abandono das águas reconfortantes do útero para a cruel realidade da separada existência física. Nunca mais viveremos no paraíso abençoado do corpo de nossa mãe. A infância deve morrer para que a adolescência e o desenvolvimento sexual se iniciem, e a juventude, por mais tempo que a prolonguemos com dietas, exercícios e cosméticos, finalmente morrerá para dar lugar à maturidade da meia-idade. Todo relacionamento, até o melhor, tem os seus ciclos de começo e fim, pois os nossos sentimentos mudam com o passar do tempo e à medida que cresce a nossa compreensão das outras pessoas. Com o casamento, deixamos para trás o nosso estado de solteiro, assim como deixamos a nossa juventude para trás com o nascimento de nossos filhos, o que nos lembra a nossa mortalidade. E assim, Hades, o Senhor da Morte, é o nosso companheiro invisível durante toda a vida e para quem devemos pagar o nosso tributo.

A MORTE

No sentido divinatório, a carta da Morte implica algo que deve chegar ao fim. Se essa experiência será penosa ou não, depende da capacidade da pessoa em aceitar e reconhecer a necessidade de encerramentos e finalizações. A carta da Morte prevê a oportunidade de uma nova vida, caso a velha possa ser abandonada. E, dessa maneira, o Louco avança no Submundo deixando para trás a sua vida anterior e preparando-se para um futuro ainda desconhecido.

O DIABO

A carta do Diabo retrata um Sátiro, uma criatura metade homem e metade bode, dançando à música de uma siringe (flauta de sete tubos) que ele segura em sua mão esquerda. Com a mão direita, ele segura duas correntes, cada uma presa a um colar ao redor do pescoço de uma figura humana nua. As figuras – um homem e uma mulher – têm pequenos chifres como aqueles do Sátiro. Apesar de suas mãos e pernas estarem livres para dançar, eles estão presos às suas correntes de medo e de fascinação pela música. Ao redor, aparecem as paredes escuras da caverna.

Na Mitologia, o bode era associado à depravação e à sujeira, e era considerado um animal lascivo e desprezível. Mas o bode também simboliza o bode expiatório, a pessoa sobre a qual os outros projetam o lado inferior de si mesmos para se sentirem mais limpos e moralistas. Por isso Pan, o Diabo, é o bode expiatório que culpamos por nossos problemas na vida.

A caverna escura e sem porta implica que Pan mora no domínio mais inacessível do inconsciente. Somente uma crise pode transpor a parede para a sua câmara secreta.

As figuras que dançam, se quisessem, estariam livres para tirar as correntes, pois suas mãos não estão amarradas. A sujeição ao Diabo é um assunto voluntário que a consciência pode libertar.

Aqui encontramos o grande deus Pan que os gregos veneravam como o Grande Todo. Na Mitologia, Pan era filho de Hermes e da ninfa Dríope. Quando nasceu, ele era tão feio — com chifres, barba, cauda e patas de bode — que a sua mãe fugiu apavorada e Hermes o levou para o Olimpo para entreter os deuses. Pan assombrava os bosques e os pastos da Arcádia, e personificava o espírito fértil e fálico da natureza selvagem e indomada. Ocasionalmente ele podia ser amigável com os homens, vigiando seus rebanhos, gado e colmeias. Também participava das festas das ninfas das montanhas e ajudava os caçadores a encontrarem suas presas. Em certa ocasião, ele perseguiu a casta ninfa Siringe até o rio Ladon, onde ela se transformou em um feixe de caniços para fugir dos indesejáveis abraços peludos. Como não podia individualizá-la dos outros, ele cortou vários caniços, dos quais fez uma siringe ou flauta de Pan.

Do nome Pan derivamos a palavra "pânico", afinal ele se divertia provocando pequenos sustos aos viajantes solitários. Ele era desprezado pelos outros deuses que, no entanto, exploravam os seus poderes. Apolo, o deus-Sol, adulando-o, conseguiu dele a arte da profecia; Hermes copiou uma flauta que ele havia deixado cair, declarou ser sua a invenção e vendeu-a a Apolo. E foi assim que o deus-Sol recebeu ilicitamente a sua música e o seu dom da profecia do deus da natureza com aspecto de bode, feio e indomado.

No sentido interior, Pan, o Diabo, é a imagem da sujeição ao mais rude e instintivo aspecto da natureza humana. Como o deus era venerado pelo medo, em cavernas e grutas, sua imagem dentro de nós sugere algo que tanto tememos quanto nos fascinam os rudes e primitivos impulsos sexuais que consideramos "maus" em razão de sua natureza compulsiva.

Desde o início da Era Cristã, o deus Pan foi estabelecido como a figura do Diabo, completo com seus chifres e trejeito irônico, e desprezado pelas pessoas "espirituais", como Apolo o desprezou, na Mitologia grega. Plutarco conta que, durante o domínio do imperador Tibério, um marinheiro que passava perto das Ilhas Equinadas, no Mar Egeu, ouviu uma voz misteriosa chamando-o três vezes, dizendo: "Quando chegar a Palodes, proclame que o deus Pan está morto". Isso ocorria no exato momento em que o Cristianismo[*] nascia na Judeia.

---

[*]N.E.: Sugerimos a leitura de *Cristianismo e Paganismo — A Construção da Europa Ocidental*, de Jocelyn Nigel Hillgarth, Madras Editora.

O DIABO

Mas a presença dessa carta entre os Arcanos Maiores do Tarô sugere que Pan não morrera, mas havia sido relegado aos recessos mais profundos do inconsciente, representando tudo aquilo que tememos, odiamos, desprezamos e, no entanto, nos mantém presos pelo próprio medo e desgosto.

O problema da vergonha do corpo e dos impulsos sexuais, particularmente os que a psicanálise tanto fez para trazer à luz neste século — fantasias de incesto, fascinação pelas funções corporais e excreções, o sentimento de ser sujo e mau, peludo, feio e inferior —, são os que Pan, o Diabo, personifica. Até o homem, ou a mulher, mais "liberado" sexualmente pode sentir essa vergonha secreta a respeito de seu corpo. Podemos sentir alguma nobreza e romantismo no leão furioso na carta da Força ou nos obstinados cavalos da carta do Carro. Contudo, é mais difícil perceber nobreza em Pan. Mas, na Mitologia, Pan não era ruim, ele só era indomado, amoral e natural. A paralisia dos humanos que os leva ao terror e à fascinação cria o problema. A carta do Diabo implica bloqueios e inibições, geralmente sexuais, que surgem pela falta de compreensão do deus. Apesar de feio, ele é o Grande Todo — a vida nua e crua do próprio corpo, amoral e rude, mas assim mesmo um deus. A energia empregada em manter o Diabo em sua caverna, vergonhoso e oculto, é energia perdida para a personalidade, mas que pode ser liberada com um efeito imensamente poderoso se tivermos a coragem de encarar Pan.

Por conseguinte, o Louco deve aprender a enfrentar com humildade seus próprios aspectos mais inferiores e mais vergonhosos, ou permanecerá eternamente preso aos seus próprios medos. Então, para poder esconder esse segredo vergonhoso, ele deve pretender ser superior e, assim, projeta a sua parte animal em outras pessoas, levando ao preconceito, à inveja e até a perseguição de indivíduos e de raças que, para ele, são "maus".

No sentido divinatório, a carta de Pan, o Diabo, implica a necessidade de um confronto com tudo o que na personalidade seja sombrio, vergonhoso e inferior. O Louco deve libertar-se adquirindo conhecimento e, por meio da aceitação honesta e humilde de Pan, deve liberar o poder criativo que está acorrentado ao seu próprio pânico e autodesprezo. E, assim, ele chega ao coração do Labirinto e enfrenta a sua própria escuridão nas sombras essenciais de seu corpo para tornar-se o que ele sempre foi — simplesmente natural.

A TORRE

A carta da Torre retrata um edifício de pedra construído em um alto rochedo com vistas para o mar. Das profundezas das águas, surge uma figura poderosa e ameaçadora, com uma coroa de ouro sobre os cabelos castanhos embrenhados de algas e um rabo de peixe que pode ser visto entre as ondas furiosas. Ela aponta o seu tridente ao edifício, que é atingido por um raio e fendido.
O mar espuma e o céu é preto e ameaçador, iluminado pelos relâmpagos de uma tempestade.

O tridente é o atributo de poder de Poseidon, que reflete a meia-lua crescente, ligando-o ao domínio dos instintos e da noite.

O surgimento do deus do mar sugere uma poderosa força instintual emergindo do inconsciente, mais forte do que os esforços da vontade de reprimi-la.

Apesar de Poseidon ser um deus da Terra, ele é retratado com um rabo de peixe. Isso o liga às criaturas de sangue frio, bem diferentes das criaturas humanas de sangue quente e que pertencem ao mundo arcaico dos instintos.

Aqui podemos ver o famoso Labirinto do rei Minos que foi atingido por um terremoto quando o irado deus Poseidon emergiu das águas para derrubar o seu domínio. Na Mitologia, Minos era o rico e poderoso rei de Creta. Foi-lhe dado esse poder por Poseidon, deus dos terremotos e das profundezas do oceano, que concordara em tornar

A TORRE

Minos soberano dos mares se esse lhe oferecesse em sacrifício um magnífico touro branco. Mas o rei Minos não queria se desfazer de seu touro e escondeu-o entre o rebanho, substituindo-o por um animal inferior. Furioso com o ato de arrogância e de repúdio ao pacto, Poseidon pediu ajuda a Afrodite, a deusa do amor. Afrodite fez com que a esposa de Minos, Pasifae, se apaixonasse perdidamente pelo touro branco. A rainha subornou Dédalo, o artesão do palácio, para que construísse uma vaca de madeira. Pasifae entrou na vaca e o touro branco penetrou Pasifae, e dessa união nasceu o Minotauro, a vergonha de Minos, uma criatura com o corpo de um homem e a cabeça de um touro que se alimentava de carne humana. Aterrorizado, o rei escondeu essa criatura no coração de um grande Labirinto de pedra que Dédalo construíra a pedido do rei.

Mas o reino não podia permanecer estagnado eternamente e ainda com esse vergonhoso segredo escondido em seu seio. Assim, Teseu, filho de Poseidon, com a ajuda de Ariadne, filha de Minos, entrou no Labirinto e matou o Minotauro. No mesmo instante, o deus levantou-se furioso de sua cama no oceano e atingiu o Labirinto. A construção foi reduzida a entulho pelo terremoto, enterrando o rei Minos junto ao corpo do Minotauro, e os escravos que eram mantidos sob o poder de Minos foram imediatamente libertados. Teseu foi proclamado rei de Creta, uma nova era foi inaugurada e o Labirinto nunca mais foi erguido.

No sentido interior, a Torre atingida por Poseidon é uma imagem do colapso dos velhos métodos. A Torre é a única estrutura construída pelo homem nos Arcanos Maiores e, portanto, é uma representação das estruturas interna e externa que construímos, como Minos, em defesa contra a vida e como esconderijo para ocultar das outras pessoas o nosso lado menos agradável. De várias formas, a Torre é uma imagem das fachadas socialmente aceitas que adotamos para esconder o nosso animal interior. Então usamos as nossas profissões, as nossas boas credenciais, as nossas associações com instituições e companhias respeitáveis, as nossas atitudes sociais cuidadosamente elaboradas, os nossos sorrisos educados e os

A TORRE

nossos intercâmbios mais diplomáticos, as nossas aparências mais inspiradas e as nossas morais familiares mais rígidas, para ocultar aquele segredo vergonhoso que na carta do Diabo aguarda pelo Louco no Submundo. A Torre é uma estrutura de valores falsos ou superados, de atitudes para com a vida que não emergem de todo o ser, mas são papéis que, como em uma peça de teatro, representamos para impressionar a audiência. Da mesma forma, a Torre também representa as estruturas que construímos no mundo externo para incorporar o nosso eu incompleto.

Assim, quando o Louco confronta o grande deus Pan em nosso Labirinto interior, ele é transformado pelo encontro. Ele se torna humilde, mais completo e mais real. Inevitavelmente, essa transformação resultará em mudanças que afetarão a vida exterior. Da mesma maneira que as nossas atitudes são alteradas por qualquer encontro com o que está no subconsciente, também os estilos de vida que escolhemos são alterados. Um dos motivos de tantas pessoas temerem esse processo de olhar interiormente é que elas apenas vislumbram que, havendo descoberto a própria natureza real, não podem mais fingir aos olhos do mundo. O encontro honesto com o Diabo provoca uma profunda integridade interior e, assim, a Torre, o edifício que representa os valores do passado, deve cair. O Louco percebe as maneiras pelas quais ele traiu o seu "eu" essencial e o choque é semelhante ao tridente de Poseidon atingindo o Labirinto: derruba as defesas e liberta as nossas partes que haviam sido escravizadas. De muitas maneiras, o Minotauro é como o Diabo, porque ambos representam um segredo animal ligado ao corpo e aos vergonhosos sentimentos sexuais que devem ser escondidos, até de nós mesmos, se quisermos nos mostrar inocentes e íntegros aos olhos da sociedade.

No sentido divinatório, quando a Torre aparece em uma abertura de cartas, prevê a derrubada de formas existentes. Essa carta, como as cartas da Morte e do Diabo, depende muito da atitude do indivíduo com relação a quanto lhe é difícil e penoso lidar com ela. É claro que é mais criativo perguntarmo-nos em que ponto estamos restritos e presos a uma falsa *persona* ou autoimagem, porque o desejo de romper com essas estruturas irreais pode evitar muita angústia e dor. Mas parece que a Torre cairá de qualquer maneira, independentemente de nossa vontade, não por causa de alguma maliciosa fatalidade externa, mas porque algo no indivíduo atingiu um ponto insuportável e não pode mais viver assim confinado.

A ESTRELA

A carta da Estrela retrata uma jovem linda, de cabelos compridos e claros, ajoelhada diante de uma arca aberta da qual sai um enxame de criaturas voadoras que escurece o ambiente. Mas o olhar da jovem está fixo na estrela brilhante, em que pode ser vista uma figura feminina em brilhantes vestes brancas.

Tal como Eva, Pandora é uma mulher. Ela é o lado feminino da natureza humana – sentimento, instinto, imaginação e intuição – que deve nortear a verdade a qualquer custo.

Os insetos, diferentes das criaturas de sangue quente, estão distantes da consciência e do relacionamento. Não podemos nos comunicar com eles, mas somos atormentados e incentivados pela própria natureza.

A arca que Zeus envia para a humanidade por Pandora é como a maçã do Jardim do Éden: algo proibido, mas impossível de resistir. Ela contém o conhecimento da realidade da vida humana, o que significa a morte da ingenuidade e da fantasia infantil. Mas também contém o atributo mais precioso do espírito humano.

Aqui encontramos Pandora que, segundo a Mitologia, abriu uma arca que Zeus havia maliciosamente doado à humanidade, liberando assim todos os males. Depois que Prometeu roubou o fogo sagrado dos deuses para doá-lo aos homens, o rei dos deuses resolveu punir severamente a raça humana, o que culminou em uma grande inundação, descrita na carta do Enforcado. Entretanto, antes dessa inundação, a sua raiva foi mais sutil, mas não o aplacou. Zeus pediu a Hefesto, o deus ferreiro, para fazer um corpo de argila e água, dar-lhe força vital e voz humana, e fazer dele uma virgem de grande beleza equiparada à das deusas do Olimpo. Todas as divindades cumularam a criatura de dons especiais e foi-lhe dado o nome de Pandora. Mas Hermes colocou traição em seu coração e mentiras em sua boca. Zeus enviou essa mulher para Epimeteu, irmão de Prometeu, juntamente com uma grande arca. Mas Epimeteu, que havia sido avisado por seu irmão a não aceitar qualquer presente de Zeus, inicialmente a recusou. Mas depois, lembrando-se da terrível vingança que o rei dos deuses havia infligido a Prometeu, apressou-se em se casar com Pandora.

Antes de ser aprisionado e acorrentado em seu pico solitário, Prometeu conseguiu advertir Epimeteu a não tocar no cofre e este, por sua vez, avisou Pandora. Mas, apesar de sua beleza, Pandora era preguiçosa, perversa e ignorante. Não levou muito tempo para que a curiosidade a fizesse abrir a arca, e os terríveis males que Zeus havia ali colocado escaparam e se espalharam sobre toda a Terra, contagiando a humanidade. Somente a esperança, que, de alguma forma, havia sido presa na arca com os males, não fugiu.

No sentido interior, a imagem de Pandora e da Estrela da Esperança é o símbolo da nossa parte que, apesar da decepção, da depressão e da perda, ainda pode prender-se a um sentido de significado e de futuro que poderia surgir da infelicidade passada. A Estrela não representa uma convicção plena de planos futuros ou uma solução para os problemas, ou ainda um guia para a ação. Tal como as cartas do Eremita e do Enforcado, a carta da Estrela recomenda a espera, pois o sentido da esperança é uma tênue luz que brilha e guia, mas não dissipa totalmente a escuridão. Portanto, a Esperança é apresentada como uma figura feminina, porque é o nosso lado irracional — a intuição — que percebe a Estrela no meio de um enxame de males indesejáveis. A esperança não afugenta os males ou desfaz a vingança que Zeus planejou. Mas, de alguma forma, e misteriosamente, ela oferece fé e, portanto, os olhos de Pandora na figura não olham para a infelicidade da condição humana, mas

A ESTRELA

para o vago, irracional e inexplicável sentido de que o Sol está prestes a surgir.

Essa qualidade de esperança nada tem a ver com expectativas planejadas. Ela é ligada com algo bem fundo dentro de nós que, algumas vezes, foi chamado de vontade de viver e que — mesmo sendo uma experiência subjetiva sem qualquer razão visível e concreta — muitas vezes pode representar a diferença entre a vida e a morte. Os médicos conhecem bem essa vontade nos pacientes — a esperança e a vontade de viver no indivíduo que frequentemente encontra os recursos internos para lutar contra a doença que, do contrário, o mataria.

Da mesma forma, indivíduos que sofreram circunstâncias trágicas ou se confrontaram com desafios maiores do que a capacidade humana pode suportar — como aquelas pessoas que passaram pela experiência do aprisionamento em campos de concentração na Alemanha e na Polônia durante a Segunda Grande Guerra, ou presenciaram a destruição de famílias nas invasões russas da Tchecoslováquia em 1948 e da Hungria em 1956 — muitas vezes expressaram a sua crença em um sentimento interior de fé e de significado que fizeram a diferença entre a sobrevivência e o completo colapso e a morte.

A Esperança é algo misterioso e profundo, pois parece transcender qualquer coisa que a vida nos apresente na forma de catástrofe. No entanto, ela não surge por um ato de vontade, assim como a Estrela não aparece, no mito de Pandora, por meio de qualquer ato deliberado de sua parte. Ela simplesmente está ali, misteriosamente presa na arca, com todos os males, e caso o indivíduo possa vislumbrar o seu brilho delicado, a resposta às dificuldades pode ser radicalmente alterada. Por conseguinte, a Estrela, a visão norteadora da esperança e da promessa, não surge de uma intenção, mas das cinzas da Torre que foi destruída.

O Louco aguarda, no meio do entulho, sem saber como e o que reconstruir. No meio dessa confusão e do colapso de velhas atitudes e estruturas, surge a débil e evasiva, mas potente, Estrela da Esperança.

A ESTRELA

No sentido divinatório, quando a Estrela aparece em uma abertura de cartas, ela é um indício de esperança, significado e fé em meio a dificuldades. Mas a Estrela também é ambivalente e pode prevenir contra a esperança cega que não prevê qualquer ação necessária. A carta da Estrela anuncia o advento de promessas, uma experiência positiva para o Louco que passou pelo colapso de tudo o que acreditava ter valor em sua vida.

A LUA

A carta da Lua retrata uma misteriosa figura feminina com três rostos, coroada com um diadema da Lua em suas três fases. O seu cabelo é prateado e ela veste uma longa túnica que flui em uma poça de água a seus pés. À sua frente, há um cão de três cabeças e na poça um caranguejo procura sair da água. Atrás dela, o céu é escuro e iluminado somente pela luminescência de sua coroa.

As três faces de Hécate, como as três faces das Moiras, refletem as inevitáveis fases mutáveis da vida.

Branco e prata, as cores dos cabelos e do traje de Hécate, são associados à Lua, porque se acreditava que essas continham todas as cores em um estado nascente.

O caranguejo é uma criatura que não pertence nem ao reino da terra nem ao da água, mas faz a sua morada entre um e outro. Portanto, o caranguejo representa o mundo dos sonhos que tem sua origem nas profundezas imponderáveis e é refletido no mundo cotidiano na forma de sinais e sentimentos fortes que não podem ser ignorados.

Aqui encontramos Hécate, a antiga deusa do Submundo, regente da Lua, da magia e dos feitiços. Na Mitologia, Hécate era, às vezes, confundida com Ártemis, a deusa da Lua, uma divindade bem mais antiga e poderosa tanto no céu quanto embaixo da terra. Filha de Zeus e Hera, incorreu na ira da mãe ao roubar-lhe um pote de ruge. Ela fugiu para a Terra e escondeu-se na casa de uma mulher que estava para dar à luz. A experiência com o nascimento tornou-a impura e, como consequência, foi levada ao Submundo para que a mancha fosse lavada. Ao contrário, ela se tornou uma das soberanas do Submundo e veio a ser chamada a Rainha Invencível, presidindo as purificações e as expiações. Como deusa dos feitiços, ela enviava demônios à Terra para atormentar os homens em seus sonhos; era acompanhada de Cérbero, o guardião de três cabeças do portal do Submundo, que era a sua forma animal e seu espírito familiar. Os lugares que ela mais assombrava eram as encruzilhadas, tumbas e cenas de crimes; por isso é que imagens sagradas eram erigidas nas encruzilhadas e veneradas na véspera da lua cheia.

O próprio Zeus honrou Hécate de tal forma que nunca lhe negou o antigo poder que sempre possuiu: de conceder ou de negar os desejos dos mortais. Suas companheiras no Submundo eram as três Erínias ou Fúrias, que castigavam as ofensas contra a natureza e representavam, de maneira ameaçadora, as três Moiras ou o Destino. E, assim, Hécate é uma das mais antigas imagens da Mitologia, presidindo a magia, o nascimento, a morte, o Submundo e o destino.

No sentido interior, Hécate, a deusa da Lua, é uma imagem das profundezas misteriosas do inconsciente. Já nos deparamos com esse estranho e fugaz reino em duas outras cartas dos Arcanos Maiores: a Sacerdotisa e a Roda da Fortuna. Essas três cartas estão ligadas em significado e representam uma progressão no aprofundamento da compreensão e da experiência do mundo do inconsciente. Por meio de Perséfone, a Sacerdotisa, o Louco conscientizou-se de uma intuição de suas profundezas pessoais, um "eu" secreto por trás da vida cotidiana. E, por meio das Moiras que presidem a Roda da Fortuna, ele experimentou o poder do Destino por intermédio de mudanças bruscas que revelam uma lei invisível ou um padrão intencional interior. Na carta da Lua, encontramos na imagem de Hécate o oceano da grande coletividade do inconsciente, do qual não somente o indivíduo, mas a própria vida emergiu.

A LUA

Hécate é muito mais do que um retrato das profundezas pessoais. Ela encarna o princípio feminino da própria vida e os três rostos, as três fases da Lua, refletem o seu poder multifacetado sobre o Céu, a Terra e o Submundo. Em termos psicológicos, é desse reino oceânico da imaginação humana que os grandes mitos, os símbolos religiosos e as obras de arte sempre nasceram. É um mundo caótico, confuso e sem limites, do qual o indivíduo com sua jornada pessoal e a sua busca do "eu" é somente uma pequena parte.

O encontro com Hécate, a deusa da Lua, é uma confrontação com o mundo transpessoal no qual os limites individuais se dissolvem e o sentido de direção e do ego se perdem. É como se devêssemos esperar, submersos nas águas desse mundo, enquanto os novos potenciais surgem para, eventualmente, tornar-se o nosso futuro. Mas as águas escuras do inconsciente coletivo contêm tanto o positivo quanto o negativo e, às vezes, é difícil distinguir seus movimentos alternados de loucura e de delírio. Ele pode ser um mundo apavorante e cheio de ansiedade, pois viver no reino presidido por Hécate significa viver sem conhecimento e sem compreensão. Algo passou por nós e levou consigo o passado, preparando o caminho para o futuro; mas devemos esperar, assim como o feto espera no útero da mãe.

O único caminho para o reino de Hécate é o "Caminho Real" dos sonhos que, como o caranguejo, nos atormenta com um vislumbre e depois volta para a água. A carta da Lua é uma carta de gestação cheia de confusão, ansiedade e perplexidade. Temos apenas o mundo dos sonhos e a Estrela da Esperança para nos guiar, pois essa imagem do feminino não é pessoal como a da Sacerdotisa. É vaga, ilusória, impessoal e incorpora os humores alternados e a confusão. Hécate não pode ser realmente compreendida, pois é a deusa da magia e inicia o Louco em um mundo maior do que ele próprio, aquela água primordial que dá origem à vida.

No sentido divinatório, a carta de Hécate, a deusa da Lua, prevê um período de confusão, flutuação e incerteza. Estamos presos ao inconsciente e somente podemos esperar e agarrarmo-nos às imagens incertas dos sonhos e ao sentido de esperança e de fé. Assim, o Louco aguarda o seu renascimento nas águas de um útero maior, apenas consciente de que a sua jornada de desenvolvimento pessoal é tão somente uma pequena fração de uma vida ampla e desconhecida que abrange milênios, seguindo eternamente fértil, mas incompleta.

O SOL

A carta do Sol retrata um homem classicamente elegante e de porte atlético, cabelos loiros e com uma coroa de folhas de louro, portando em sua cabeça o disco dourado do Sol. Ele tem asas douradas e veste uma curta túnica branca. Em sua mão direita, ele segura um arco e uma aljava de flechas; com sua mão esquerda, ele segura uma lira. Ele está em pé entre duas colunas de um pórtico construído em pedras de um dourado pálido. Atrás dele, um cenário verde-dourado pontilhado de árvores de louro brilha sob um quente céu azul.

Apolo curava os sofrimentos e os medos que lhe eram apresentados em forma de música. A música, expressão do deus-Sol, transforma a escuridão em luz e significado.

A coroa de louros era usada para homenagear os vencedores de torneios atléticos ou concursos artísticos. O espírito empreendedor e a coroa da vitória são ambos aspectos do deus-Sol.

As flechas de longo alcance de Apolo mereceram-lhe o epíteto de "Apolo de Grande Visão", o que implicava o deus ser a imagem daquela nossa parte que pode enxergar o propósito e a razão das experiências muito antes de tê-los emocionalmente processado e, eventualmente, superado.

Aqui encontramos Apolo, o radiante deus-Sol, o cavalheiro do Olimpo e senhor da profecia, da música e do conhecimento. O seu apelido era Febo, que significa "aquele que brilha" e, na Mitologia, dizem que seus lugares preferidos eram os altos picos das montanhas. Ele era filho de Zeus e de Leto, a deusa da Noite. Diferentemente das outras crianças, Apolo não foi amamentado por sua mãe, mas alimentado com néctar e com doce ambrosia assim, imediatamente, o recém-nascido arrancou as suas faixas e ficou dotado do vigor de um homem. Ele andava com seu arco e suas flechas de longo alcance — que Hefesto, o deus ferreiro, havia feito para ele — à procura de um lugar para o seu santuário. Mas o lugar que ele escolheu, um desfiladeiro montanhoso, era a morada da serpente fêmea Píton, uma criatura enviada por Hera que, por ciúmes, queria destruir Leto, a mãe de Apolo. O deus matou Píton com uma de suas flechas, coroou-se com louros e chamou o seu novo santuário de Delfos.

Em Delfos, ele estabeleceu o seu oráculo, que era interpretado por uma sacerdotisa posteriormente conhecida como Pitonisa. Todos os anos, no outono, Apolo saía de Delfos para visitar a misteriosa terra dos Hiperbóreos, onde ele podia deliciar-se com o eterno céu brilhante. Apolo era o inimigo da escuridão e podia suprimir a maldição da culpa por crimes de sangue e os consequentes sofrimentos. Entretanto, ele era um deus ardiloso, pois o seu oráculo era ambíguo e vago, e as suas flechas podiam matar tanto animais quanto homens. Consequentemente, ele era considerado o deus da morte brusca, como também o curador que dissipava as doenças e as sombras. A profecia, geralmente o dom das divindades do Submundo, foi gradativamente apropriada a Apolo até ele mesmo se tornar o deus da visão de longo alcance.

No sentido interior, Apolo, o deus-Sol, é a imagem do poder da consciência em dissipar a escuridão. Tal como Hécate que, sob o nome de Ártemis, na Mitologia era irmã gêmea de Apolo, o deus personifica algo maior do que a capacidade do indivíduo em adquirir conhecimento e percepção. Apolo é a imagem do impulso para a consciência que existe em todos nós e, portanto, ele é o complemento natural e a antítese de Hécate. Durante muitos séculos e por meio da ascensão e queda de muitas culturas e civilizações, o impulso para o conhecimento e o desejo de liberdade da sujeição à natureza obscura e desconhecida levaram a humanidade para picos impressionantes, mas perigosos. Apolo representa o espírito do impulso intelectual combinado com a visão do futuro que engloba o ideal da perfeição.

O SOL

Assim, o encontro do Louco com Apolo, o deus-Sol, proporciona-lhe esperança e clareza após a longa noite de espera no útero de Hécate. Por meio de muitas tentativas e perdas, o Louco manteve o seu objetivo e a sua integridade; mas a carta da Lua é um lugar escuro no qual, apesar do fim da jornada estar próximo, o Louco perdeu a sua confiança e o seu poder de ação. Mas Apolo é o dissipador do medo e a sua luz brilhante dissipa as sombras. As sombras da Lua são como os medos noturnos da infância, que nos fazem sentir pequenos e insignificantes diante da vastidão do desconhecido, ameaçados pelas formas gigantescas que se desenham na escuridão.

Apolo é a imagem da esperança e da fé que surge em todos nós independentemente dos nossos impulsos, uma herança humana de nobreza e de determinação que pode restaurar a fé do Louco em si mesmo, porque também é a fé no significado e no propósito da jornada humana. A carta do Sol simboliza o espírito indômito que sempre lutou contra a superstição, a inépcia, a ignorância e a sujeição ao fatalismo e ao desespero.

É esse espírito que luta contra a serpente Píton, a encarnação do poder negativo, do instinto cego e do medo primitivo. A música de Apolo nos arrebata, pois ela utiliza a comunicação transpessoal, atravessando culturas e séculos e incorporando a tragédia e o triunfo humanos.

Apolo é um grande deus, respeitado por todos os outros deuses, inclusive até as Moiras foram, em certa época, sujeitas à sua vontade — mas somente uma única vez. Entretanto, o deus-Sol também é ambivalente, pois luz excessiva e repentina pode matar se o conhecimento for prematuro, e destrói o tempo e a escuridão necessários à gestação. Portanto, a carta do Sol segue a carta da Lua. O calor escaldante do Sol pode queimar, por não respeitar as leis da Natureza. Na Mitologia, Apolo era frequentemente rejeitado em seus avanços com as mulheres, pois sua luz era brilhante demais.

O SOL

No sentido divinatório, a carta de Apolo, o deus-Sol, prevê um tempo de clareza, otimismo e confiança renovada. Torna possível compreender o padrão, planejar o futuro e empreender o caminho para a frente. Os feitiços da noite são dissipados e agora o Louco está de posse da antevisão, do propósito e de uma fé no impulso do espírito humano. Dessa forma, ele se depara com o grande princípio masculino da vida que age tanto no homem quanto na mulher e progride para a sua meta.

O JULGAMENTO

A carta do Julgamento retrata um jovem de cabelos pretos encaracolados, trajando uma túnica branca e um manto de viagem vermelho. Em sua cabeça, um elmo alado e, em seus pés, sandálias aladas. Em sua mão direita, ele segura o caduceu, a vara mágica entrelaçada por duas cobras. Aos seus lados e apenas visíveis, duas colunas, uma branca e outra preta. As escadas em que se encontra ascendem para uma porta pela qual é possível entrever um cenário verde no qual o Sol está apenas surgindo. Diante dele estão vários caixões gravados dos quais os mortos se levantam, estendendo-lhe seus braços e desfazendo-se de suas mortalhas.

Novamente, as colunas branca e preta refletem a ambivalência do inconsciente com seus potenciais destrutivo e criativo.

Os mortos são mumificados porque as experiências do passado não são lembradas, permanecendo inalteradas no inconsciente, até que o seu significado se torne claro de repente.

Agora podemos entender o significado das duas cobras entrelaçadas na vara mágica de Hermes que representam o emblema do Submundo feminino dos instintos e que Apolo, o deus-Sol, conquista, mas que Hermes se relaciona de maneira diferente, usando-a para servir aos seus propósitos maiores nos desígnios da jornada da vida.

Aqui, à medida que nos aproximamos do fim do ciclo dos Arcanos Maiores, deparamo-nos com o deus com o qual nos encontramos no início — Hermes, o Psicopompo, Condutor de Almas. Na carta do Mago, Hermes aparece como o guia interior do Louco no início de sua jornada da vida — trapaceiro, protetor dos viajantes perdidos e mago, o qual pode indicar o caminho por meio das misteriosas intuições que, na Mitologia, diziam que o deus dispensava. Agora, ele é revelado como uma divindade poderosa do Submundo, emissário de Hades, que convoca gentil e eloquentemente os moribundos aplicando a sua vara dourada sobre seus olhos. Mas Hermes também podia convocar as almas dos mortos de volta à vida, como também introduzi-las no domínio de Hades.

Na Mitologia, quando Tântalo, o rei da Lídia, cortou o seu filho em pedaços para servi-los aos deuses, Hermes reuniu-os, devolvendo a vida ao jovem. Como arauto dos deuses, Hermes também libertava heróis, como Teseu, que entravam no reino de Hades ilicitamente e ali ficavam presos. Ele também guiou Orfeu nesse reino obscuro à procura de sua esposa Eurídice e o guiou novamente para fora quando esse a perdeu pela segunda vez. Dessa forma, o Hermes da carta do Julgamento não é somente o guia, mas também aquele que convoca e leva as almas para o seu juízo, preparando-as para uma nova vida.

No sentido interior, Hermes, o Psicopompo, é a imagem de um processo que ocorre em certos momentos críticos da vida, como, por exemplo, um exame de consciência, quando as experiências do passado são reunidas e consideradas como parte de um padrão inteligente e cujas consequências devem ser compreendidas e aceitas. Esse processo não é uma função intelectual, mas uma ideia do que é engendrado no Submundo da inconsciência. É uma chamada para os mortos se erguerem, para que as muitas e variadas ações e decisões que executamos sejam reunidas a fim de produzir um resultado. O artista passa por esse processo quando, depois de muitas horas, semanas ou até anos, na tentativa de formular, pesquisar, praticar uma técnica e dar forma a uma vaga ideia ou imagem, finalmente algo "acontece" e uma nova obra criativa vem à luz.

Esse mesmo processo pode ser visto na psicoterapia, em que um indivíduo luta, durante um longo tempo, com as memórias e sentimentos desconectados do passado e do presente, preso e bloqueado, e, de repente, há uma coesão e o seu padrão de vida finalmente faz sentido. Esse processo pode ocorrer em qualquer plano de vida no qual nos debatemos e lutamos cegamente diante de uma situação para

O JULGAMENTO

repentinamente o esforço ser recompensado, surgindo uma síntese e um novo desenvolvimento.

Assim é Hermes no máximo de seu poder mágico, revelado como o verdadeiro senhor de toda a jornada do Louco, juntando por meio de um misterioso processo de intuição as experiências e as percepções angariadas em cada estágio da jornada e, magicamente, mesclando-as para formar o início de uma nova e mais ampla personalidade.

Portanto, a figura de Hermes conduzindo as almas para o julgamento representa um processo de nascimento, que levará a uma personalidade mais completa que, de maneira irracional, provém das experiências combinadas do passado, entremeadas pelo discernimento e pelo sentido de que, na realidade, eventos e opções aparentemente aleatórios estão secretamente ligados.

O juiz dos mortos decide qual futuro merecem os esforços passados e é nesses esforços das cartas passadas que o futuro do Louco é edificado. A carta do Julgamento simboliza a recompensa dos esforços empenhados, apesar de o juiz estar em nosso interior e não no mundo exterior. Também pagamos por nossos erros de inconsciência e colhemos os frutos da recusa em assumir a responsabilidade de nossas próprias escolhas em cada estágio da jornada.

O Julgamento não é somente a imagem de um novo começo, mas é o início que emerge do passado. Na filosofia oriental, isso é chamado de carma. Cada pessoa semeia o seu próprio campo e deverá colher o que foi produzido de seu plantio. Apesar de frequentemente ser considerado trapaceiro e mentiroso, na função de Psicopompo, Hermes não permite que a alma minta. Tudo deve ser computado e o Louco encontra finalmente as consequências de todas as escolhas que fez na vida.

No sentido divinatório, quando o Julgamento aparece em uma abertura de cartas, ele prevê um tempo de recompensa por esforços passados. Esse é o período da síntese, da realização do que fizemos e onde nós mesmos criamos o futuro que agora nos aguarda. Trata-se de uma carta ambígua, pois também pode implicar um confronto

O JULGAMENTO

incômodo com nossas fugas e traições. Nem sempre a recompensa é agradável. Agora, o Louco deve responder por sua jornada, pois chegou o tempo da colheita e tanto os erros quanto os esforços criativos do passado são reunidos para formar o futuro. Independentemente do que acontece ao indivíduo em termos de experiências, a carta do Julgamento anuncia o fim de um capítulo da vida. Mas, diferentemente da carta da Morte, ela não implica o luto. Ao contrário, é a clara percepção de quanto fomos autênticos com relação a nós mesmos.

O MUNDO

A carta do Mundo retrata uma serpente dourada enrolada na forma de um ovo que come a própria cauda. Dentro do círculo, uma estranha figura está dançando, metade homem e metade mulher, alada, com uma coroa de louros e segurando em cada uma das mãos uma vara dourada. Em volta da serpente, surgindo das nuvens, um cálice, uma espada, uma tocha e um pentáculo dourado.

Dizem que a Serpente do Mundo, chamada Uróboro pelos gregos, tinha em si mesma os dois sexos, macho e fêmea, com a propriedade da autofecundação e da autoalimentação; era imortal e completa. Ela representa a mítica imagem tanto de Deus quanto da Natureza, que aqui é incorporada em um único símbolo.

Os quatro símbolos que governam os quatro elementos: água, fogo, ar e terra, refletem os potenciais que aguardam o desenvolvimento da nova personalidade.

As varas douradas são associadas à vara mágica de Hermes, que dará à nova personalidade condições de criar com mais força nos domínios do sentimento, da imaginação, da mente e da matéria.

Aqui encontramos Hermafrodito que, na Mitologia, era filho de Hermes e de Afrodite. Em uma versão da lenda, ele nasceu como um ser de duplo sexo, mas, em outra versão, essa dualidade ou unidade foi adquirida. Originalmente, Hermafrodito era uma criança de gênero masculino e, para esconder o seu nascimento ilícito, Afrodite imediatamente o confiou às ninfas do Monte Ida, que o criaram na floresta.

O MUNDO

Com a idade de 15 anos, ele era um jovem selvagem cujo principal prazer era caçar nos bosques da montanha. Um dia ele chegou às margens de um lago límpido cujo frescor convidativo fez com que ali se banhasse. A ninfa Salmácis, que governava o lago, apaixonou-se por ele. Ela declarou o seu amor a Hermafrodito e o tímido jovem tentou rejeitá-la. Mas Salmácis o abraçou e o cobriu de beijos. Ele continuou resistindo, porém a ninfa gritou: "Ó deuses! Façam com que jamais algo me separe dele ou ele de mim!" Imediatamente, seus dois corpos foram unidos e se tornaram um só.

As quatro figuras que cercam a imagem de Hermafrodito na carta do Mundo pertencem a quatro divindades: Afrodite, a deusa do amor; Zeus, o rei dos deuses; Atena, a deusa da sabedoria; e Poseidon, o deus dos terremotos. Já nos deparamos com esses símbolos na carta do Mago: o cálice do amor, a vara da imaginação criativa, a espada do intelecto e o pentáculo da realidade física. Esses quatro elementos, nós os encontraremos novamente ao explorarmos os quatro naipes dos Arcanos Menores. A serpente em volta de Hermafrodito é a antiga Serpente do Mundo que, como sabemos, incorpora o próprio poder primordial instintivo da vida que se devora e se recria eternamente.

No sentido interior, Hermafrodito é a imagem da experiência de estar completo. Macho e fêmea são mais do que identificações limitadas aos órgãos sexuais. São as grandes polaridades que englobam todos os opostos da vida. O ser de duplo sexo, nascido em uma versão e adquirido em outra, é o símbolo da potencial integração dos opostos na personalidade. Hermafrodito nasceu dessa forma porque o potencial dessa integração é inerente a todos nós. Mas, de outra maneira, Hermafrodito adquiriu a dupla sexualidade por meio das múltiplas experiências durante toda a jornada dos Arcanos Maiores que derradeiramente levam a esse ser completo. As qualidades do cuidado materno e das éticas paternas, intuição e expressão física, mente e sentimento, relacionamento e solidão, conflito e harmonia, espírito e corpo — todos esses opostos que brigam dentro de nós e causam essa disputa em nossas vidas, nessa carta são considerados

O MUNDO

unidos, vivendo em harmonia dentro do grande círculo da Serpente do Mundo que é a imagem da vida inesgotável.

A imagem de integralidade, o sentido de estar completo, como é retratada na carta do Mundo, é uma meta ideal e não algo que possamos possuir totalmente. Somos humanos e, portanto, imperfeitos; o andrógino divino está além do nosso alcance. Mas podemos vislumbrar esse estado sempre que houver um sentido de cura interna, quando duas partes conflitantes dentro de nós chegarem a se confrontar para, em seguida, encontrar uma solução que leva à paz e à harmonia.

Geralmente, quando nos deparamos com esses opostos na vida e dentro de nós mesmos, negamos que esse conflito exista, reprimindo metade e relegando-o ao Submundo do inconsciente. Ou projetamos a metade desconfortável sobre outra pessoa, ou sobre algo que pertença ao mundo externo, e gastamos energia lutando contra alguma coisa que está realmente dentro de nós. O estado de ambivalência faz parte da condição humana e, no entanto, quantos de nós têm a coragem de admitir essa nossa ambivalência? Nós dizemos: "É claro que quero me casar!", ou: "É claro que quero ter filhos!", ou: "É claro que te amo!", ou: "É claro que acredito em Deus!", ou: "É claro que gosto do meu trabalho!" Mas como seres humanos que somos, também somos complexos e a jornada do Louco é de descoberta por meio dos nossos próprios opostos, consciente e inconsciente juntos.

A carta do Mundo é a última dos Arcanos Maiores e o fim da jornada do Louco, mas também é um ovo que insinua ser a semente de uma nova jornada. Dessa forma, sempre que tivermos um sentimento de "chegada" e houver um momento de realização e de cura, um novo desafio surge, uma nova descoberta da velha jornada espiralada. E assim continuamos a crescer e a mudar, sempre nos movendo para a frente e para Hermafrodito, a imagem da integralidade, mas somente conseguindo realizar pequenos avanços e, às vezes, de maneira muito sutil.

No sentido divinatório, quando o Mundo aparece em uma abertura de cartas, ele prevê um tempo de realização e de integração. Esse é um período de triunfo da bem-sucedida conclusão de um assunto,

O MUNDO

ou a realização de um objetivo que foi duramente trabalhado. Mas esse pico é simplesmente o vislumbre de algo misterioso e evasivo, e Hermafrodito se torna um feto que, eventualmente, surge da caverna como o Louco.

Assim, o grande ciclo dos Arcanos Maiores termina onde se inicia, pois poderíamos começar com Hermafrodito como o futuro potencial da personalidade que leva ao nascimento do Louco. E, dessa maneira, o círculo, como a Serpente do Mundo, completa-se.

OS ARCANOS MENORES

Os Quatro Naipes

Os quatro naipes do Tarô — simbolizados pela Taça (Copas), Bastão (Paus), Espada (Espadas) e Pentáculo (Ouros) — são descrições, no sentido da forma, de experiências em quatro diferentes dimensões ou fases da vida. Tal como os antigos quatro elementos da filosofia grega, dos quais se acreditava que todas as coisas manifestas fossem criadas, os quatro naipes englobam cada faceta das experiências da vida. Em certo sentido, eles revelam, com maior detalhe e em um nível mais pessoal, a jornada arquetípica retratada pelas 22 cartas dos Arcanos Maiores. Cada naipe focaliza um determinado aspecto do ciclo global e o examina por meio de diferentes e detalhadas fases de desenvolvimento.

Cada naipe dos Arcanos Menores pode ser dividido em dois grupos: as cartas numeradas, das quais há dez cartas em cada naipe, e as cartas da corte, das quais há quatro em cada naipe. Por intermédio das cartas numeradas, podemos vislumbrar as experiências cotidianas da vida, que nos acometem por meio de acontecimentos, do tratamento com outras pessoas e por meio de estados passageiros da mente ou do sentimento. Cada uma das cartas numeradas reflete uma experiência típica ou arquetípica e, mais cedo ou mais tarde, durante o transcorrer da vida, nós nos encontramos em cada um desses pequenos cenários. É por isso que as cartas numeradas são, de forma geral, interpretadas de um ponto de vista divinatório como reflexos de fatos ou acontecimentos no mundo exterior, embora elas sejam, na realidade, tão "psicológicas" quanto as cartas dos Arcanos Maiores.

As cartas da corte que pertencem a cada naipe — Pajem, Cavaleiro, Rainha e Rei — diferem das cartas numeradas, porque elas não descrevem realmente fatos ou experiências, mas representam tipos de caráter ou dimensões de uma determinada fase da vida que podem ser descritos como figuras humanas. Apesar de se apresentarem de modo hierárquico, elas têm o mesmo valor, porém o diferente grau de poder material indica o seu diferente grau de consolidação no mundo exterior.

OS ARCANOS MENORES

Os Pajens em todos os naipes dos Arcanos Menores são imagens dos jovens, inícios delicados das qualidades do específico naipe. Em outras palavras, essa é a parte primitiva daquela fase da vida em sua forma juvenil, frágil e incipiente, precisando de cuidado e proteção para que as suas qualidades se desenvolvam totalmente.

Os Cavaleiros são imagens da fase adolescente volátil e energética das qualidades do específico naipe. Esse é o espírito jovem, energético e buscador que nos impulsiona a explorar e a experimentar aquela particular fase da vida.

As Rainhas em todos os quatro naipes são imagens das qualidades estáveis e receptivas de uma fase específica da vida. Aqui a energia e o anseio não fluem mais com tanto abandono no ambiente — é o que a Psicologia* chamaria de *acting-out* (psicodrama) —; ao contrário, eles são mantidos interiormente, contidos e concentrados para que uma força maior possa emergir. Aqui os valores do indivíduo são formados e encenados pelas únicas figuras femininas das cartas da corte.

Os Reis em todos os quatro naipes são imagens das qualidades dinâmicas, expansivas e diretivas do naipe específico. Essas poderosas figuras masculinas representam o uso total das energias dessa fase de vida para construir e concretizar no mundo exterior.

As personalidades arquetípicas das cartas da corte não descrevem qualidades pertinentes unicamente a homens ou a mulheres, apesar de as imagens serem definitivamente sexuadas. Ao contrário, esses rostos masculinos e femininos implicam qualidades de energia receptivas ou diretivas: masculino e feminino em um nível mais profundo e disponível a homens e mulheres. Essas figuras são maiores do que as das cartas numeradas dos Arcanos Menores, embora não tão abrangentes e profundas quanto as figuras dos Arcanos Maiores. A Rainha de Ouros, por exemplo, compartilha algumas das qualidades terrenas

---

*N.E.: Sugerimos a leitura de *O Livro Completo da Psicologia*, de Lesley Bolton e Lynd L. Warwick, Madras Editora.

OS ARCANOS MENORES

da Imperatriz, mas incorpora todas as amplas e profundas dimensões da Mãe do Mundo. A Rainha de Copas compartilha alguns atributos intuitivos tanto da Sacerdotisa quanto da Lua; mas essas duas últimas são maiores, porque as profundezas do inconsciente contêm mais do que simplesmente as intuições e os sentimentos passionais encenados pela Rainha de Copas.

As cartas da corte contêm seu próprio mistério, porque, frequentemente, elas penetram na vida do indivíduo não somente como uma experiência interior, mas como pessoas reais. Aqui voltamos ao enigma do que a Psicologia chama de sincronicidade, porque, quando algo está maduro para ser desenvolvido dentro de nós, muitas vezes o encontramos no mundo exterior; e quando estivermos a caminho de nos tornar um certo tipo de pessoa e precisarmos desenvolver certas qualidades internas, frequentemente essa exata pessoa aparece "externamente" como um catalisador do qual podemos aprender mais sobre nós mesmos. Muitos relacionamentos acontecem em nossas vidas, porque a outra pessoa incorpora algo que nós, com o tempo, devemos aprender a interiorizar. Dessa forma, as cartas da corte abrangem os domínios da psique e da matéria de maneira perturbadora, pois esses tipos de personalidades podem entrar em nossas vidas como pessoas, além de descrever qualidades que nós mesmos estamos em processo de desenvolver.

Os naipes de Copas correspondem ao antigo elemento água que, como diziam, deu origem à vida. A água é fluida, sem forma, mutável e vaga, mas tão real e poderosa, à sua maneira, quanto rocha sólida. Os ritmos e as profundezas do mar são maravilhosos, mas perigosos. Assim também é o mundo do sentimento, pois, apesar de os sentimentos mudarem e assumirem sua coloração de acordo com a situação que os cercam, eles possuem seu próprio ritmo, realidade e poder. As 14 cartas do naipe de Copas descrevem o desenvolvimento dos sentimentos durante a vida, as maneiras típicas pelas quais as nossas emoções mudam e se aprofundam por meio de experiências humanas características, do catalisador de outras pessoas e dos tipos de caráter que incorporam o mundo do sentimento em sua forma mais pura. O símbolo da copa sempre foi associado ao coração, pois o fluido que contém é o mundo fluido do sentimento. Quer seja essa a água clara do amor espiritual ou o vinho vermelho-sangue da paixão, a copa da qual bebemos é o veículo pelo qual experimentamos o relacionamento.

O naipe de Paus corresponde ao antigo elemento fogo que, como diziam, surgiu espontaneamente do nada e podia alterar e transformar tudo o que tocava sem mudar a si mesmo. O fogo é volátil, um transformador de formas, nem sólido nem líquido, mas um catalisador que reduz objetos aos seus mais básicos componentes, transformando a sua natureza. Assim também é o mundo da imaginação criativa, que pode produzir imagens do nada e que transforma objetos no mundo concreto e "real", incutindo neles significado e objetivo, embora a própria imaginação permaneça inatingível. O símbolo do bastão (naipe de Paus) é relacionado com a vara do mágico que, por meio do misterioso poder da imaginação, pode conjurar objetos a existir e pode perceber ligações que a mente comum não pode enxergar. As 14 cartas do naipe de Paus descrevem o desenvolvimento da imaginação criativa e dos desafios com os quais nos deparamos no mundo exterior, sua utilidade, os perigos da insensata imaginação excessiva e os personagens típicos que incorporam mais puramente o domínio da imaginação.

O naipe de Espadas corresponde ao antigo elemento ar que, sendo invisível, se acreditava ser a respiração do espírito que concebeu a ideia da criação antes que fosse manifestada. A morada do céu era a sede de Zeus, rei dos deuses, de onde ele formulou suas leis e elaborou o seu plano para a evolução do homem. Assim, o elemento ar simboliza o domínio da mente, as faculdades da conceituação e o pensamento abstrato que devem preceder qualquer ato de criação e que proporciona estrutura e significado à vida. A espada com seus dois gumes cortantes é uma imagem adequada para o poder ambivalente da mente, que pode penetrar a situação mais obscura e mais incompreensível com sua agudeza e, ao mesmo tempo, cortar com sua lâmina inflexível. As 14 cartas do naipe de Espadas descrevem o desenvolvimento dessa faculdade racional em sua forma obscura e clara por meio de conflitos, disputas e separações que os pensamentos e as palavras podem provocar; pela clareza e pela compreensão que a mente pode oferecer, e pelos tipos característicos que integram o domínio da mente em sua forma mais pura.

O naipe de Ouros (Pentáculos) corresponde ao antigo elemento terra, a argila essencial da qual fomos formados e para a qual devemos voltar derradeiramente. A terra é tanto o nosso início quanto o nosso fim, e a experiência do corpo é a realidade original antes que qualquer sentimento, imagem ou espírito possa habitá-la. A terra pode ser trabalhada e formada para construir casas e outras criações, e a própria vida exige ajustes para as necessidades de nossos corpos por meio do alimento, do abrigo, da vestimenta e do dinheiro que simboliza o merecimento, o valor e a recompensa pela energia empregada. O símbolo do pentáculo — a moeda de ouro cunhada com a estrela de cinco pontas de Hermes, o deus da magia, dos mercadores e das transações — significa dinheiro. Mas o dinheiro em si é um dos símbolos mais profundos e intimamente ligados ao nosso sentido de valor e de merecimento em tudo o que realizamos na vida. O pentáculo também é um prato no qual o alimento pode ser servido, um recipiente que guarda tudo o que criamos. As 14 cartas do naipe de Ouros descrevem o desenvolvimento da "realidade da função" e o ajuste gradativo, durante a vida, de necessidades, desafios, decepções e recompensas do mundo material, assim como os personagens típicos que incorporam o mundo da terra em sua forma mais pura.

Os antigos filósofos declaravam que esses quatro elementos estão em nós e, em um sentido interior, todos nós possuímos essas quatro diferentes dimensões da vida e quatro diferentes modos de nos adaptarmos a ela. Todos devemos passar por experiências arquetípicas nos quatro reinos, ou seja, elas tendem a seguir certos padrões humanos básicos. O curso dos relacionamentos humanos, por exemplo, é um caminho que, apesar de bem conhecido, todas as vezes que o trilhamos é como se fosse pela primeira vez. A nossa herança de Mitologia, folclore e contos de fadas, sem mencionar a grande literatura e arte do mundo, revela todas as típicas situações humanas do amor — separação, idealismo, decepção, rejeição, conquista, realização, união e perda.

OS ARCANOS MENORES

Em razão de nossas experiências serem típicas de cada um dos quatro reinos, exploraremos cada uma das cartas numeradas dos quatro naipes por meio de um mito particular que abrange as dez cartas e que incorpora essas experiências características. Exploraremos as quatro cartas da corte de cada naipe por intermédio de figuras humanas da Mitologia que personificam os tipos característicos daquele naipe. Dessa forma, poderemos examinar detalhadamente os essenciais padrões humanos do desenvolvimento que ocorre emocional, criativa, intelectual e fisicamente.

Para as cartas numeradas do naipe de Copas, consideraremos o mito de Eros e Psiquê, pois essa é uma história arquetípica de amor cujo desenrolar se relaciona com as principais experiências nos relacionamentos com as outras pessoas.

Para as cartas numeradas do naipe de Paus, analisaremos o mito de Jasão e o Velocino de Ouro, pois essa é uma história de aventura e de conquista da imaginação criativa sobre as limitações da matéria. O desenrolar dessa história relaciona-se com as principais experiências no esforço para expandir as nossas vidas criativamente.

Para as cartas numeradas do naipe de Espadas, acompanharemos o mito de Orestes e a Maldição da Casa de Atreu, pois essa é uma história arquetípica dos usos e dos abusos da mente, e dos conflitos, disputas e reconciliações que encontramos por meio de nossa ética e de nossos princípios.

E para as cartas numeradas do naipe de Ouros, investigaremos o mito de Dédalo, pois essa é uma história arquetípica do destino do espírito encarnado em matéria imperfeita e o desenvolvimento das destrezas e habilidades no mundo da forma.

O NAIPE DE COPAS

As Cartas Numeradas

Na realidade, a lenda de Eros e Psiquê é o desenvolvimento e o amadurecimento dos sentimentos, e a capacidade do relacionamento com outra pessoa. De certa forma é uma jornada, uma viagem, mas diferente da grande jornada do Louco pelos Arcanos Maiores, pois se trata de uma aventura específica que diz respeito ao tema central do coração humano.

Psiquê (em grego, a palavra significa "alma") era uma princesa de grande beleza e de quem a própria deusa Afrodite tinha ciúmes. Ela ordenou ao seu filho Eros, o deus do amor, que castigasse a audaciosa mortal. Logo depois, um oráculo mandou que o pai de Psiquê, ameaçado de terrível calamidade, levasse a filha a um rochedo solitário na qual ela se tornaria vítima de um monstro. Mas, quando Eros viu a jovem que deveria ser sacrificada, ficou tão surpreso com a sua beleza que levou um tombo e acabou picando-se com uma de suas flechas — aquelas que usava com tanta eficiência para incutir amor tanto em mortais quanto em deuses. E, assim, Eros apaixonou-se por quem sua mãe lhe ordenara destruir.

Tremendo, mas resignada, Psiquê aguardava em seu rochedo solitário a realização do oráculo quando, de repente, ela percebeu que estava sendo levada gentilmente pelos ventos a um magnífico palácio. Ao cair da noite, quando Psiquê quase dormia, um ser misterioso apareceu na escuridão dizendo-lhe ser o marido ao qual era destinada. Ela não podia lhe ver as feições, mas a sua voz era gentil e suas palavras eram cheias de ternura. O casamento foi devidamente realizado, mas ao alvorecer, antes de retirar-se, o estranho fez com que Psiquê prometesse nunca tentar ver o seu rosto.

Psiquê não era infeliz com a sua nova vida e nada lhe faltava, com exceção da deliciosa presença do marido que somente a visitava durante a noite. A sua felicidade teria continuado dessa maneira não fosse por suas duas invejosas irmãs, que plantaram a semente da suspeita em seu coração, dizendo que o marido devia ser um monstro horrível já que lhe escondia o rosto. Tanto insistiram que uma noite, apesar de sua promessa, Psiquê levantou-se da cama que compartilhava com seu marido e acendeu uma lanterna iluminando o rosto misterioso. Em vez de um monstro terrível, ela contemplou o mais lindo jovem do mundo — o próprio Eros. Ao pé da cama, estavam a sua aljava e as suas flechas. Chocada, Psiquê virou-se em direção à cama, mas caiu e feriu-se com uma das flechas, apaixonando-se profundamente pelo jovem deus que ela, anteriormente, havia aceitado porque ele a amava. Ao cair, ela despertou Eros, que a repreendeu por sua falta de fé e imediatamente desapareceu.

O palácio também desaparecera e a pobre Psiquê encontrou-se novamente no rochedo solitário no seio de um apavorante isolamento. No início, ela considerou suicidar-se e se jogou em um rio que estava próximo, mas as águas levaram-na delicadamente para a margem oposta. Dali em diante, ela passou a vaguear pelo mundo à procura do amor perdido, perseguida pela ira de Afrodite e forçada pela deusa a submeter-se a uma série de terríveis provações. Entretanto, ela conseguiu superar todas as provas, assistida pelas criaturas da Natureza — as formigas, os pássaros, os caniços. Ela teve de descer ao Submundo, cujo acesso era proibido a qualquer ser humano. Finalmente, sensibilizado com o arrependimento de sua esposa, que nunca deixara de amar e de proteger, Eros implorou a permissão de Zeus para que Psiquê se reunisse a ele. Afrodite esqueceu o seu rancor e as segundas núpcias dos dois amantes foram celebradas com grande alegria.

O NAIPE DE COPAS

O Ás de Copas

A carta Ás de Copas retrata uma linda mulher de cabelos pretos que emerge de um mar espumante. Ela segura uma única e grande taça dourada.

Nesta carta, encontramos a deusa iniciadora que é a força ativa responsável pela lenda romântica de Eros e Psiquê: trata-se de Afrodite, que nasceu das águas espumantes, a deusa do amor em seus mais nobres e também mais degradantes aspectos. Na Mitologia, o nascimento de Afrodite foi muito estranho. Quando, pela insistência de sua mãe Gaia, o astuto Cronos castrara o seu divino pai Urano, ele jogou os seus genitais ao mar. Eles flutuaram na superfície das águas produzindo uma espuma branca da qual surgiu Afrodite. Transportada pela respiração de Zéfiro, o Vento do Oeste, a deusa foi levada para as margens de Citera (Grécia) e finalmente parou nas praias de Chipre. Ela foi recebida pelas Horas, as deusas das estações, que a vestiram ricamente, enfeitaram-na com joias e a conduziram para a assembleia dos imortais.

Afrodite era uma deusa complexa. Essência da beleza feminina, tudo nela era puro charme e harmonia. Mas também podia ser ciumenta, maliciosa, vaidosa, enganadora, traiçoeira, preguiçosa e vingadora. Ela espalhou por toda a natureza a alegria de viver, embora também fosse a divindade temerosa que enchia os corações humanos com o frenesi da paixão. As vítimas escolhidas por Afrodite sofriam, pois chegavam a trair os seus próprios pais, a abandonar os seus lares ou eram acometidas por paixões animalescas ou incestuosas. Ao mesmo tempo, Afrodite protegia as uniões legítimas e presidia a santidade do casamento.

Em suma, Afrodite é a imagem da força da Natureza. O significado dos Ases nos quatro naipes dos Arcanos Menores é a erupção inicial da energia vital, e a deusa de cabelos pretos que emerge do mar segurando a taça dourada representa o surgimento do sentimento primordial. Esse é o impulso para o relacionamento e, se não estivermos prontos, então a outra pessoa não aparecerá. Na lenda,

Eros e Psiquê nunca teriam se encontrado se não fosse por Afrodite, pois foi o seu capricho que promoveu a ação da história. Portanto, o Ás de Copas implica o início da grande jornada pelo domínio do coração, no qual a abundância de sentimentos irrompe e impulsiona o indivíduo ao relacionamento.

No sentido divinatório, o Ás de Copas anuncia uma disseminação de sentimento que, apesar de não ter sido evidenciado, surge como primitivo, vital e, muitas vezes, avassalador. No início de um relacionamento, o potencial está implícito, embora nem sempre seja manifestado. E o indivíduo está pronto para embarcar na jornada do amor.

O Dois de Copas

A carta Dois de Copas retrata o encontro inicial entre Eros e Psiquê.
Ela está vestida de branco para proclamar a sua virgindade e está amarrada em um rochedo cercado de água por ordem de Afrodite. Aos seus pés há uma taça dourada. Seu olhar é distante e ela aguarda a sua morte certa pelo monstro que habita a profundeza do mar. Atrás dela, Eros paira no céu, tremulando com seus cabelos louros e suas asas douradas. Em sua mão direita, ele segura uma taça dourada. Em sua mão esquerda, a flecha com a qual, acidentalmente, ele se feriu e, inadvertidamente, apaixonando-se pela mulher que fora ordenado a matar.

O Dois nos quatro naipes dos Arcanos Menores representa a polarização da energia vital inicial dos Ases. Aqui, no Dois de Copas, essa polarização implica a atração entre o masculino e o feminino. O sentimento primordial que irrompeu no Ás agora encontrou um objeto, assim como Eros encontra a mulher com quem pode se unir. Na antiga fábula de Platão a respeito das origens da humanidade, a alma humana, antigamente, era uma esfera perfeita e continha tanto o masculino quanto o feminino. Mas essa alma andrógina dividiu-se e, assim, a raça humana, constituída de homens e mulheres, é cegamente levada a buscar a sua metade perdida. Para a mentalidade grega, a atração erótica representava alguma coisa sensual e espiritual, pois, além de proporcionar prazer físico, também era a procura da alma por seu complemento.

Quando um novo potencial começa a surgir do inconsciente na vida do indivíduo, ele inicia por projetar-se sobre alguém ou sobre alguma coisa no mundo exterior. Dessa forma, quando o potencial para a realização indicado no Ás de Copas começa a movimentar-se na pessoa, a primeira indicação desse movimento é a atração pela outra. Nessa outra pessoa, podemos vislumbrar o que nós mesmos estamos nos tornando. Em Psiquê, que é mortal, o deus Eros percebe a oportunidade de humanizar-se, pois ele é o espírito desencarnado do amor que ainda não encarnou em um relacionamento humano. No deus Eros, Psiquê pressente o potencial da imortalidade que pode elevar o seu amor humano para um nível mais alto e mais espiritual, mas não nesse momento. O Dois de Copas nos apresenta os protagonistas da lenda, e o poder primordial de Afrodite se transforma no poder de atração.

No sentido divinatório, o Dois de Copas prevê o início de um relacionamento. Ele também sugere uma reconciliação que, em um relacionamento já existente, passou por dificuldades ou pela separação. Pode até indicar o encontro ou os acordos entre parceiros de negócios, pois aqui também o elemento de relacionamento é evocado.

O Três de Copas

A carta Três de Copas retrata o casamento de Eros e Psiquê. Em pé, no rochedo cercado de água, Psiquê está com seu vestido de noiva e seus cabelos enfeitados de flores; ela segura um buquê de lírios brancos. Atrás dela, está o noivo que ela ainda não pode ver – Eros, o radiante deus do amor, com seu arco e aljava com flechas douradas. Três ondinas ou ninfas dançam em um círculo ao seu redor, cada qual emergindo da água e segurando uma taça dourada em comemoração do casamento.

Os Três de todos os naipes dos Arcanos Menores representam o estágio de uma conclusão inicial. Uma nova dimensão de vida está por começar, enquanto a primeira parte da jornada foi completada.

O NAIPE DE COPAS

Portanto, o Três de Copas é uma carta de comemoração, representando uma experiência de realização emocional e a conclusão da atração inicial. O casal uniu-se e há um sentimento de alegria e de promessas. Mas a história de Eros e Psiquê conta algo muito importante sobre esse estágio inicial de realização e de conclusão. Psiquê ainda não viu o seu noivo nem, no mito, questiona a falta de um encontro real. Inicialmente ela se contenta em viver com Eros em uma espécie de estado onírico no qual ele volta para ela na escuridão da noite. Portanto, junto com a alegria e a comemoração desse casamento, paira uma certa ingenuidade. Esse é o estado imediatamente reconhecível de "estar apaixonado", no qual estamos fascinados pela nossa imagem refletida na outra pessoa, mas também é aquele estado em que o verdadeiro parceiro ainda não é visível aos nossos olhos. O encontro inicial é uma experiência alegre, uma comemoração do amor e da vida, um excitante início. Grande parte da literatura e do drama do mundo retrata a felicidade desse mesmo estado. Mas a mensagem é: aproveite-o enquanto puder. Há muito mais à frente, alegrias e tristezas, antes que a jornada pelo naipe de Copas se complete e que o amor de Eros e Psiquê surja com todo o seu potencial humano e divino. O Três de Copas é uma iniciação à vida, cheio de promessas. A virgem casa-se e deixa para trás a sua virgindade e a sua inocência. Essa é a carta da transição anunciando outros desenvolvimentos futuros. A jornada ainda não terminou e há muito trabalho à frente.

No sentido divinatório, o Três de Copas sugere a comemoração de um casamento, o início de um caso de amor, o nascimento de uma criança ou alguma outra situação de realização emocional e de promessas. Mas cada uma dessas situações também é um início, uma iniciação para níveis mais profundos de experiências do coração e o prenúncio de explorações futuras.

O Quatro de Copas

A carta Quatro de Copas retrata Psiquê, a recente noiva, sentada no magnífico palácio do deus Eros. Através de colunas brancas, vislumbra-se o mar. Aos dois lados de Psiquê, estão suas invejosas irmãs, uma vestindo preto e a outra, vermelho, ambas sussurrando que o seu noivo seria um terrível monstro; do contrário, por que haveria de ocultar-se nas sombras, visitando-a somente à noite? Psiquê assume um olhar descontente. À sua frente, quatro taças douradas.

Os Quatro de todos os naipes dos Arcanos Menores são aqueles do descontentamento divino. Apesar de tudo parecer alegre e compensador, ainda existem dúvida e suspeita. O Quatro de Copas retrata esse descontentamento em nível de sentimento. Psiquê vive na opulência e é visitada à noite pelo marido amante e carinhoso, mas mesmo assim não está satisfeita. Suas invejosas e ciumentas irmãs, de certa forma, são os impulsos interiores da própria alma, pois, apesar de negativos e de provocar-lhe dúvidas, sondam um problema real: a cegueira e a ignorância de Psiquê quanto a quem e o que é o seu verdadeiro consorte.

Assim, a realização inicial do Três provou ser uma decepção, pois há uma crescente percepção de que alguma coisa está errada, algo que não está sendo considerado. Todos temos essas horríveis irmãs dentro de nós, uma espécie de lado sombra de nossa personalidade que mais parece desejar-nos o mal e, no entanto, somente quer o nosso bem, porque ele nos obriga a analisar mais profundamente e a exigir mais honestidade em nosso tratamento emocional com as pessoas. Caso Psiquê tivesse permanecido em seu estado cego e satisfeito de ignorância, ela nunca teria crescido e todo o potencial de seu relacionamento com Eros e o seu próprio "eu" nunca seria alcançado. Portanto, o Quatro de Copas, a carta dos sentimentos descontentes e da insatisfação emocional, por nenhuma razão aparente, é tanto negativo quanto positivo. Ele retrata todas as nossas vãs suspeitas e dúvidas a respeito das outras pessoas; e isso resulta na semente de todas as traições. Entretanto, ele ainda retrata uma misteriosa força inteligente funcionando no indivíduo que, de alguma forma, sabe que ainda há um longo caminho pela frente.

No sentido divinatório, o Quatro de Copas prevê um período de insatisfação, de tédio e de depressão em um relacionamento. Há um sentimento de ter sido abandonado ou trapaceado, apesar de que os trapaceiros somos nós mesmos, graças às nossas expectativas irreais. Essa insatisfação pode levar a um demorado e tácito ressentimento ou pode levar a uma análise mais profunda dos relacionamentos, um caminho mais árduo porque as suposições e fantasias anteriores serão então desafiadas.

O Cinco de Copas

A carta Cinco de Copas retrata as consequências da traição de Psiquê. Suas irmãs despertaram os seus medos a tal ponto que ela acabou quebrando a promessa feita a Eros ao acender uma lanterna para ver o seu rosto enquanto dormia. Aqui podemos ver Psiquê desesperada diante da cama nupcial vazia. A mão esquerda segura a lanterna, enquanto a direita está levantada em súplica para Eros, que pode ser vislumbrado desaparecendo atrás das colunas de mármore do esplêndido palácio. À frente, quatro taças derrubadas com seu conteúdo espalhado no chão; uma única taça permanece em pé e intacta.

O Cinco de Copas representa aquele período de prova em um relacionamento quando nos arrependemos de certas ações do passado. Essa carta coloca o difícil problema da traição que, como parte do naipe de Copas, é apresentada como uma experiência necessária e potencialmente criativa. Apesar de penosa, a traição quebra o cego encanto mágico de "estar apaixonado" e totalmente envolvido com a outra pessoa, pois trair, às vezes, pode significar ser autêntico. A traição de Psiquê não foi um ato impensado ou causado por ambição; ele surge de sua necessidade de conhecer o parceiro, e o deus, de certa forma, está errado em negar-lhe esse conhecimento. Portanto, essa é uma ação honesta que provoca o conflito inevitável que, no entanto, é necessário, porque qualquer outra ação constituiria uma autotraição.

Trair a exigência ou a expectativa da outra pessoa é um aspecto difícil, mas frequente, de um relacionamento mais íntimo. O amante, marido ou esposa que diz: "Não procure me conhecer realmente, mas permaneça apaixonado pela imagem que eu lhe apresento", provocará a traição e o traidor, tal como Psiquê, muitas vezes sofre as consequências. Porém, a presença de uma taça intacta na figura afirma que nem tudo está perdido; alguma coisa ainda resiste que permite trabalhar na reestruturação.

Agora Psiquê sabe quem é o seu marido, além de saber que o ama, e não a uma simples imaginação. Sem esse ritual de passagem ela ficaria presa à ansiedade e ao ressentimento do Quatro de Copas. Nesse momento, ela sofre com o amargo arrependimento, mas ainda resta algo com o que trabalhar.

No sentido divinatório, o Cinco de Copas implica o arrependimento de ações passadas. Algo saiu errado, uma traição ocorreu, e há tristeza e remorso. A separação pode ocorrer no relacionamento, mas essa carta não a prevê como definitiva. Resta ainda alguma coisa a ser trabalhada e o indivíduo deve enfrentar o desafio e comprometer-se com o futuro.

O Seis de Copas

A carta Seis de Copas retrata Psiquê sentada sobre um rochedo e, atrás dela, um mar calmo. Em sua mão esquerda, ela segura e contempla o conteúdo de uma taça dourada. Em sua mão direita, os restos de seu buquê de noiva de lírios brancos. Ao seu redor, outras cinco taças douradas.

O Seis de Copas é uma carta nostálgica. Aqui podemos ver Psiquê abandonada; o seu misterioso marido se foi e o magnífico palácio desapareceu; tudo o que ela tem são boas memórias. Entretanto, apesar da catástrofe, Psiquê parece estar tranquila, pois o Seis de Copas não é uma carta negativa. Com o ocorrido, Psiquê conseguiu algo muito precioso. Ela realmente viu Eros e agora sabe que o ama pelo que ele é, e não pelo conforto e pelo prazer que ele lhe proporcionava. Portanto, apesar da perda, ela descobriu algo a seu próprio respeito e é essa verdade que promove a harmonia que podemos ver nessa carta.

A calma e a serenidade que muitas vezes ocorrem depois de uma crise em nossas vidas são relacionadas a esse estágio da história. Aqui, os sonhos e as expectativas irreais do passado, por meio de provas e decepções, de certa forma se cristalizam em algo sólido e real. Psiquê assumiu o desafio de recuperar o seu amor perdido após o arrependimento e o remorso do Cinco de Copas e, portanto, está em paz consigo mesma. O seu amor tornou-se realidade e agora ela tem alguma coisa com que trabalhar. Nesses momentos, a nostalgia do passado sempre volta para nos assombrar, mas existe uma faísca de verdade nele e não se trata apenas de uma fantasia sentimental sem fundamento. Após a autorrecriminação do Cinco, o Seis de Copas representa uma retomada positiva na jornada de Psiquê para o seu objetivo.

No sentido divinatório, o Seis de Copas anuncia um período de serenidade que resulta das experiências dos sonhos do passado. Algumas vezes, um antigo amor volta do passado ou o sonho de um desejo antigo parece ser realizável em um futuro próximo. A cegueira própria do estado de "estar apaixonado" solidificou-se e, apesar de o passado parecer maravilhoso, mas irrevogavelmente perdido, uma parte de sua promessa surge no presente, temperada e reforçada. Essa carta implica a nostalgia a respeito do passado, mas com uma diferença: o passado pode levar ao futuro e o sonho passa a ser possível, e até próximo de realização.

O Sete de Copas

A carta Sete de Copas retrata a deusa Afrodite instruindo Psiquê a respeito das tarefas que ela deverá cumprir para poder ficar com Eros novamente. Psiquê está ajoelhada diante da deusa, reconhecendo a soberania divina em todos os assuntos relativos ao amor. Surgindo da água, Afrodite aponta para as sete taças douradas que flutuam nas nuvens diante dela.

O Sete de Copas representa a dádiva — e o problema — de ser confrontado com muitas possibilidades nos assuntos do coração. Essa é a carta dos "castelos no ar". A intuição percebe todos os tipos de potenciais futuros, mas essas visões de possibilidades devem tornar-se reais e concretas por meio de um grande e árduo trabalho. Psiquê ergueu-se de seu estado nostálgico retratado pelo Seis de Copas, com um sério compromisso para com o seu amor e, humildemente, ela pede a ajuda de Afrodite, apesar de saber muito bem que a caprichosa deusa foi quem iniciou todas as mudanças catastróficas da sorte. Como resposta, Afrodite garante a futura reunião com Eros e é dessa forma que são invocadas as alegres fantasias da solução do relacionamento. Agora, tudo é possível para Psiquê. Mas Afrodite exige um preço: trabalho árduo e demorado, esforços cansativos, cuidado e previsão, que podem provocar humilhação e sofrimento. Mas Psiquê não pode ter Eros de volta sem executar esses trabalhos.

O surgimento de alegres fantasias a respeito de um futuro maravilhoso no qual tudo é possível no amor é o natural desabrochar do comprometimento interior já estabelecido no Seis de Copas. Quando conseguimos uma profunda realização dos nossos sentimentos verdadeiros ou conseguimos uma ligação com uma importante parte de nós mesmos, tal como Psiquê conseguiu com o seu amor por Eros, o futuro descortina-se para uma rósea visão. "Agora eu sei como tudo isso aconteceu", afirmamos com confiança, porque agora sabemos que as possibilidades são infinitas. Mas tempo, escolhas certas e trabalho árduo são necessários para que essas possibilidades se transformem em realidade concreta. O relacionamento profundo e honesto que Psiquê agora almeja promete um futuro feliz. Mas, antes, ela deve aceitar as limitações da realidade: o fato de seu marido ser imaturo demais para aceitar essa honestidade e que ela própria deve aprender a ser paciente, ter fé e perseverança, antes de poder tê-lo de volta.

No sentido divinatório, o Sete de Copas prevê uma situação emocional na qual muitos potenciais são evidentes, mas o indivíduo é confrontado pelo desafio de escolher e agir em termos realistas para que esses potenciais se manifestem.

O Oito de Copas

A carta Oito de Copas retrata Psiquê executando a última tarefa de Afrodite: a viagem ao Submundo para resgatar um pote de creme de beleza de Perséfone. Psiquê apresenta-se de mãos vazias ao descer os degraus que levam à escuridão do Submundo; seu rosto está triste, mas resignado, pois sabe que provavelmente não sobreviverá à viagem. Atrás dela, abandonadas, oito taças douradas cuidadosamente arrumadas.

O Oito de Copas é a fase mais difícil da jornada de Psiquê para o seu objetivo de recuperar o relacionamento com Eros: a desistência voluntária da esperança no futuro. Nenhum mortal vivo pode descer ao reino de Hades e, no que diz respeito a Psiquê, essa última tarefa que Afrodite lhe impôs deve significar a sua morte. No entanto, ela obedece à deusa por ser leal ao seu compromisso com o amor. Dessa maneira, trata-se da desistência da esperança. Todas as tarefas tão meticulosamente executadas sugerem, pelas oito taças cuidadosamente arrumadas, que de nada serviram. Ela enxerga a situação como realmente é — que Afrodite jamais cederá — e, desesperada, ela desiste e abandona todas as suas esperanças passadas.

Esse estágio do relacionamento é um dos mais penosos, porque significa que nada mais pode ser feito. Esforços maiores de nada servirão; devemos desistir e começar tudo de novo. Muitas pessoas, quando são confrontadas com o dilema refletido pelo Oito de Copas, recusam-se a aceitar o impasse e continuam a suplicar, ameaçar, coagir e a chantagear o parceiro, na esperança de uma resposta que não é mais possível nas atuais circunstâncias. O Submundo, como vimos na carta da Morte dos Arcanos Maiores, é o símbolo de luto e o abandono do controle; é o lugar da morte e da transformação de nossas velhas atitudes. Portanto, quando não há mais o que fazer, devemos desistir voluntariamente, não a título de "negociação" para garantir uma futura reconciliação — pois esse não é um autêntico abandono —, mas porque é a única coisa a ser feita. Essa é a aceitação do que parece ser o destino, a aceitação do fim. Não importa o que aconteça depois, a desistência nos transformará porque é a sujeição ao que é maior e não à boa vontade do parceiro, mas à vontade do divino, aqui representada pela grande deusa do amor.

No sentido divinatório, o Oito de Copas implica a necessidade de desistir de alguma coisa. A verdade da situação deve ser enfrentada; não há o que fazer e não existe outra forma senão desistir. Muitas vezes, a situação leva à depressão, pois o Submundo é um lugar de luto. O futuro não pode ser manipulado e para o desconhecido nos dirigimos de mãos vazias.

O Nove de Copas

A carta Nove de Copas retrata o momento de felicidade quando Psiquê é resgatada do Submundo e reunida a Eros. Em um rochedo cercado pelo mar, Psiquê e Eros portam guirlandas de flores e se confrontam de braços dados. Ao lado, Afrodite olha bondosamente para os dois, levantando uma taça e abençoando essa união. Abaixo deles, seis taças douradas estão cuidadosamente arrumadas em comemoração
à reunião dos amantes.

O Nove de Copas é a carta do desejo que representa a satisfação e a realização de um sonho emocional. Psiquê e Eros estão finalmente reunidos no mútuo amor honesto. Cada um, à sua maneira, traiu o outro e sabe em nível profundo quem é o parceiro; e compreenderam e perdoaram-se mutuamente. É por isso que Afrodite abençoa a união, pois o poder do amor incondicional humano pode afetar até os deuses. Esse momento extático de realização, diferentemente da comemoração inicial do Três de Copas, foi realmente merecido, não pela força, pela vontade ou pela manipulação emocional, ou ainda pela proclamação exagerada do autossacrifício, mas pelo seguro comprometimento interior assumido pelo único ser humano da história. Tudo o que Psiquê fez e realizou foi em fidelidade ao seu próprio sentimento. E, dessa forma, ela adquiriu o direito de reivindicar o seu marido divino, fazendo com que até os deuses se envergonhassem.

Esse segundo encontro é o autêntico casamento de Eros e Psiquê, sugerindo o que essa união pode vir a ser, pois ela não surge do simples estado de "estar apaixonado", mas do comprometimento tanto ao amor quanto ao ressentimento, à traição, à separação, ao desespero e à possibilidade da desistência, se for necessário. Isso é raro, pois a jornada de Copas não diz respeito a "estar apaixonado e viver feliz para sempre", para logo se separar quando o amado decepciona. Na realidade, trata-se de uma jornada interior ao encontro de um compromisso com os nossos próprios valores de sentimento e, portanto, é uma união tanto interior quanto exterior.

No sentido divinatório, o Nove de Copas anuncia um período de prazer e de satisfação, e a realização de um desejo almejado. Ele representa a recompensa pelos esforços empregados e a validação do nosso comprometimento.

O Dez de Copas

A carta Dez de Copas retrata a elevação de Psiquê ao nível divino
para que ela possa entrar no mundo dos deuses com o seu marido.
O casal, de mãos dadas, encontra-se novamente no esplêndido
palácio de Eros. Psiquê não porta mais o seu traje virginal;
a sua veste agora é de ouro cintilante e, sobre seus ombros,
como o seu marido, um par de asas douradas.
À frente deles, dez taças douradas.

O Dez de Copas representa um estado de permanência e de contentamento constante. O êxtase da reunião dos amantes na carta Nove de Copas não foi dissipado como na comemoração da carta Três de Copas e o descontentamento no Quatro de Copas, pois esse casamento se baseia na união consciente de dois amantes, mas parceiros diferentes. Por conseguinte, eles poderão usufruir um futuro que suportará qualquer desafio da vida ou dos deuses.

O fato de Psiquê ter sido elevada ao *status* imortal implica que, agora, o seu amor por Eros engloba não somente uma dimensão pessoal e sensual, mas também uma dimensão espiritual. Eros foi humanizado pelo seu amor por Psiquê; ele não precisa mais esconder dela o seu rosto. Por outro lado, Psiquê experimenta um sentido de ligação com o divino que somente o amor profundo pode promover. Dizem que, às vezes, o amor por uma pessoa abre o coração para o amor à própria vida; a vida tem significado e propósito, e um mundo mais amplo e mais brilhante descortina-se ao nosso olhar. Certa vez, Platão escreveu: "Quando olhamos para o rosto do ser amado, podemos ver o reflexo do deus que chegamos a venerar". É como se o amor, ao passar por muitas provas e fundamentado na honestidade e na humildade, nos ligasse às nossas próprias almas e com um sentido de permanência, significado e retidão na vida. Essa é a promessa inerente ao Ás de Copas que se realiza no Dez de Copas. Nem todo relacionamento consegue esse feito, assim como não o consegue sempre. Entretanto, nós humanos sempre tentamos.

No sentido divinatório, o Dez de Copas prevê contentamento e permanência duradouros no domínio do coração.

O NAIPE DE COPAS

As Cartas da Corte

O Pajem de Copas

A carta do Pajem de Copas retrata um garoto de aproximadamente 12 anos, de cabelos pretos e trajando uma túnica lilás; ele está ajoelhado à beira de um lindo lago azul. No chão, uma taça dourada cujo conteúdo o garoto olha atentamente, pois está estudando o reflexo de seu próprio rosto e está maravilhado com sua beleza. Ao seu redor, tufos de botões de íris e narcisos ainda não desabrochados. No cenário, uma vegetação que esconde um céu azul.

As cartas da corte do naipe de Copas são representadas por figuras mitológicas que incorporam as características típicas do naipe. Na carta do Pajem de Copas, deparamo-nos com o mutável, vulnerável e sutil início do elemento ar: a emergência nascente da capacidade do sentir.

Isso é encenado pela figura mitológica do lindo jovem Narciso. Ele era um tespiano, filho do deus-rio Cefiso e de uma ninfa. Qualquer um poderia se apaixonar por Narciso, mesmo como criança, e seu caminho estava repleto de pretendentes de ambos os sexos que se apaixonavam pela beleza do garoto. Mas sua mãe, advertida pelo adivinho Tirésias, nunca permitira que o garoto visse o seu próprio reflexo. Portanto, ele não tinha noção de sua própria identidade.

Um dia, passeando pela campina tespiana, Narciso chegou a um lago. Esse lago era alimentado por uma fonte de água cristalina e nunca fora perturbado por gado, pássaros, animais selvagens, homens e nem mesmo pelos galhos das árvores que o sombreavam. Procurando saciar a sua sede, ele se ajoelhou e viu o seu reflexo na água, pelo qual se apaixonou imediata e perdidamente. Primeiro ele procurou abraçar e beijar o lindo rapaz que o confrontava, mas logo ele se reconheceu e ficou se admirando naquele lago, hora após hora.

Finalmente, Narciso não conseguia mais suportar a agonia desse inatingível amor. Ele sacou a sua adaga e feriu o seu peito, exclamando: "Oh, jovem, amado em vão, adeus!", e expirou. O seu sangue ensopou a terra e dela brotou a flor branca que foi chamada narciso.

Narciso, o Pajem de Copas, inicialmente parece ser simplesmente a imagem de um fútil autoamor. Mas também pode ser visto como uma imagem de autodescoberta, pois para amar outra pessoa é preciso antes o reconhecimento e o amor de si mesmo; do contrário, é um exercício triste e muitas vezes infrutífero procurar na outra pessoa o que o indivíduo ainda não encontrou em si. Esses relacionamentos são destinados ao fracasso, e o egoísmo aparente de Narciso, na realidade, é o início da descoberta do nosso próprio merecimento de sermos amados. Frequentemente, esse é o início da genuína capacidade de amar outra pessoa individualmente, em vez de um potencial fornecedor de qualidades que precisamos para nos sentir completos.

Assim Narciso, o Pajem de Copas, é uma figura ambígua. De um lado, como imagem de um sutil início nascente do sentimento da vida, ele sugere o nascimento de algo novo — a capacidade de amar

O NAIPE DE COPAS

ou a renovação da fé no amor que anteriormente poderia ter sido prejudicada ou traumatizada por um relacionamento infeliz. De outro lado, o sentido do autoamor que Narciso incorpora é o início da cura, por mais fútil e infantil que ele pareça. Depois de uma penosa separação ou da perda de um ser amado, muitas pessoas passam um longo tempo em uma espécie de crepúsculo emocional, durante o qual elas têm o sentimento de não ter mais nada para dar aos outros. Nesse período, o indivíduo tampouco cuida de si mesmo. Mas os gentis e delicados movimentos dessa renovação da capacidade de amar muitas vezes assume a forma de um interesse lento e gradativo por si — no próprio corpo, no ambiente que o cerca, tentando agradar e alimentar a si mesmo com coisas que proporcionem prazer em vez de dor ou de lembranças da dor. Esse é um processo que deve ocorrer antes de o indivíduo estar pronto para arriscar outro encontro emocional.

O Pajem de Copas, tal como os outros pajens dos Arcanos Menores, sugere alguma coisa frágil e delicada, facilmente mal-interpretada e prejudicada. Assim também é o nosso sentido nascente do autoamor, que pode levar a uma relação mais gratificante com a vida. Podemos facilmente chamar Narciso de fútil e egoísta por ele se preocupar unicamente consigo mesmo. Mas ele precisa começar dessa maneira antes de poder enxergar qualquer outra pessoa e é interessante observar que, na Mitologia, é a sua mãe que tenta mantê-lo afastado do autoconhecimento e do autorreconhecimento.

O triste final da história de Narciso também pode ser interpretado em vários níveis. De alguma forma, o Pajem de Copas e tudo o que representa deve ser transformado — ou "morrer" — antes que o amor por outra pessoa possa desenvolver-se totalmente. Mas é necessário que esse seja um autossacrifício, um movimento genuíno da autopreocupação para a percepção das outras pessoas. Portanto, é próprio e correto que Narciso ponha um fim à sua própria existência, transformando-se no Cavaleiro de Copas, que permitirá ao sentimento da vida mover-se livremente para o exterior e para as outras pessoas.

Quando o Pajem de Copas aparece em uma abertura de cartas, ele sugere algo novo em nível de sentimento. Isso pode representar um novo relacionamento, uma nova qualidade de sentimento em um relacionamento e até o nascimento de uma criança. Muitas vezes, o Pajem de Copas prevê uma renovação da capacidade de amar, começando pelo amor por si mesmo, após um período de dor e de isolamento. Essa qualidade delicada deve ser logo alimentada, do contrário pode desaparecer rapidamente.

O Cavaleiro de Copas

A carta do Cavaleiro de Copas retrata um lindo jovem de pele clara, cabelos pretos e olhos profundos, montado em um elegante cavalo branco. Ele traja uma túnica roxa e uma armadura prateada toda escamada, e sobre a cabeça porta um elmo com um enfeite em formato de cauda de peixe. Ele conduz o seu cavalo elegantemente ao longo de um riacho borbulhante no qual os peixes saltam da água. Ao seu redor, um cenário romântico de bosques e colinas verdes e, ao longe, o mar pode ser visto sob um céu azul-claro. Com a sua mão esquerda, ele segura uma taça dourada.

Na carta do Cavaleiro de Copas, deparamo-nos com a dimensão volátil, sensível e mutável do elemento água que, como o riacho, está cheio de vida e em movimento constante. Essa é a representação do herói mitológico Perseu, motivado em todas as suas aventuras pelo amor às mulheres e que, em suas jornadas, deve enfrentar as várias facetas do feminino, tanto obscuras quanto claras, antes de poder reunir-se com o seu amor. Perseu era filho de Zeus e de uma mulher mortal chamada Danae, para quem o deus apareceu em uma chuva de ouro. O pai de Danae, Acrísio, havia sido avisado pelo oráculo de Delfos que sua filha daria à luz um filho que o mataria. Para que isso fosse evitado, ele encerrou Danae e o filho em uma arca e jogou-os ao mar. Protegidos pelas divindades da água, eles foram levados às margens de Sérifos e para a proteção do rei Polidetes. O rei apaixonou-se por Danae e a perseguiu durante todos os anos da infância e adolescência de Perseu. Finalmente, Polidetes resolveu matar Perseu porque o jovem era contrário a seu casamento, acreditando que a sua mãe merecia algo melhor. Portanto, o rei enviou o jovem na aparente missão impossível de trazer-lhe a cabeça da terrível Medusa.

Em todo o seu trajeto, Perseu foi protegido pelas deusas. As Greias, três bruxas que compartilhavam de um único olho, conheciam os segredos do futuro e disseram-lhe onde encontrar Medusa; Atena armou-o com um escudo mágico e foi dessa maneira que o jovem conseguiu matar a górgona, olhando o seu reflexo no escudo espelhado, a fim de proteger sua mãe. Ele levou consigo a cabeça da Medusa e em seu caminho de volta para Sérifos passou pela Etiópia, onde salvou a linda Andrômeda das garras de um monstro marinho. Ele matou o monstro, libertou-a e casou-se com a jovem. Ele então voltou para Sérifos e matou Polidetes que, entrementes, tentara seduzir Danae. Isso feito, juntamente com sua mãe e sua esposa, Perseu empreendeu o caminho de volta para o lugar de seu nascimento onde Acrísio, o seu avô, tentara matá-lo. Apesar de não procurar vingar-se dele deliberadamente, ele acabou matando-o acidentalmente, tornando-se, dessa forma, rei de Argos. Mas o lugar era repleto de memórias tristes então decidiu transferir-se para Tirinto, onde fundou uma gloriosa dinastia.

Perseu, o Cavaleiro de Copas, é a imagem do verdadeiro espírito romântico, o herói das mulheres em dificuldades, o adorador do amor, da beleza e da verdade, e o defensor dos altos ideais que busca incessantemente o amor perfeito que somente existe no espírito e que sempre parece estar muito próximo, no ser amado seguinte. O espírito romântico do Cavaleiro de Copas incorpora tudo o que é gentil, idealista e bom; não se trata de uma personalidade fraca, ao contrário, ele é capaz de sacrificar tudo em nome de seu ideal ou do ser amado.

Em certo sentido, essa é a imagem do estado de "estar apaixonado", uma experiência que todo realista presume que, com a familiaridade do casamento, com os filhos e as obrigações familiares, acabe morrendo, mas que todo romântico acredita que possa e deva perdurar para sempre. Quando isso não ocorre, o Cavaleiro de Copas pode seguir em frente, buscando ainda a derradeira experiência do amor sagrado.

É claro que a santidade do Cavaleiro de Copas não exclui o sexo, mas os relacionamentos sexuais para essa figura devem necessariamente estar associados ao amor e ao êxtase espiritual. A "mera" satisfação física não lhe interessa. Historicamente, os ideais do amor romântico que floresceram na Idade Média refletem o espírito do Cavaleiro de Copas. O jovem cavaleiro sempre adorava a sua amada de longe; ele não a contagiaria com seus desejos carnais, mas lhe escreveria poesias e, muitas vezes, dedicaria a sua vida para protegê-la.

Perseu é diferente dos outros heróis em virtude, justamente, desse alto idealismo e veneração pelas mulheres. Diferentemente das figuras como Héracles que enfrenta seus desafios porque tenta expiar um pecado ou como Teseu que os enfrenta por serem excitantes, Perseu segue o seu destino pelo amor — principalmente começando pelo amor de sua mãe. Essa qualidade de venerar e de idealizar a mãe é característica do Cavaleiro de Copas, pois, apesar de sua força, ele se ajoelha aos pés de uma rainha — uma mulher de maior poder do que ele. Muitas vezes, a qualidade do amor representado pelo Cavaleiro de Copas contém esse elemento de adoração por uma pessoa diante da qual nos sentimos um tanto indignos — ou por uma pessoa que já esteja casada. Esse ainda não é um amor entre iguais, que encontraremos mais adiante na Rainha e no Rei de Copas. Mas, à sua maneira, é amor e não deveria ser ridicularizado como adolescente ou imaturo. Sem o Cavaleiro de Copas, viveríamos em um mundo insípido e desprovido de brilho.

Quando o Cavaleiro de Copas aparece em uma abertura de cartas, indica que chegou o momento de o indivíduo experimentar essa dimensão inebriante e romântica do amor. Frequentemente, o Cavaleiro prevê uma proposta de casamento ou a experiência de uma paixão. Em outro nível, às vezes ele implica uma proposta artística, um relacionamento diferente, não menos exaltado e idealista. Ele ainda pode entrar na vida de um indivíduo como um jovem poético e sensível, um arauto do nosso próprio romantismo emergente.

A Rainha de Copas

A carta da Rainha de Copas retrata uma mulher misteriosamente linda, com longos cabelos pretos, um longo vestido verde-turquesa banhado pela água do rio a seus pés e uma coroa dourada. Está sentada em um trono dourado em cujos braços são entalhadas duas serpentes douradas. Na mão direita, ela segura uma taça dourada e, na esquerda, uma maçã.
Seu olhar concentra-se no conteúdo da taça.
Atrás dela, além dos férteis campos verdes, é possível ver o mar azul sob um céu claro.

Aqui, na carta da Rainha de Copas, deparamo-nos com as profundezas estáveis, contidas e introvertidas do elemento água — o particular mundo interior do sentimento abismal e derradeiramente insondável. O quadro é representado pela figura mitológica de Helena, com a qual nos encontramos na carta dos Namorados dos Arcanos Maiores e cuja beleza era tão grande que a Guerra de Troia ocorreu por sua causa.

Helena era filha de Zeus e Leda e, ao atingir a idade adulta no palácio de seu padrasto, o rei Tíndaro de Esparta, todos os príncipes da Grécia, como seus pretendentes, ofereceram-lhe ricos presentes. Finalmente, casou-se com Menelau, que se tornou rei de Esparta após a morte de Tíndaro. Mas o casamento estava fadado a fracassar, pois Afrodite prometera a Páris, o príncipe troiano, a mais linda mulher do mundo se ele a escolhesse no concurso de beleza mencionado na carta dos Namorados. E Helena era essa mulher.

No devido tempo, Páris e Helena encontraram-se e se apaixonaram, e Helena fugiu com ele. O insulto causado ao rei Menelau provocou a Guerra de Troia, na qual Páris foi morto. Finalmente, a beleza de Helena atraiu para si três outros amantes, sem mencionar o herói Teseu, que a sequestrou quando ainda era adolescente. Todos esses outros amantes tiveram os seus favores enquanto ela ainda estava em Troia e, dessa forma, Helena desfrutou de um período de dez anos de guerra. Quando os troianos foram derrotados, Menelau procurou Helena, a quem havia jurado matar por adultério. Mas, ao vê-la, se apaixonou novamente e a levou de volta a Esparta. Se ela lhe foi fiel ou não durante o resto da vida é algo que a Mitologia não revela.

Helena, a Rainha de Copas, é mais do que a imagem da atraente beleza feminina. Ela incorpora o hipnótico poder do mundo feminino dos sentimentos, um poder mágico e magnético que desafia a mera perfeição física. Como na lenda, inúmeros homens perseguem Helena e, no entanto, ninguém sabe realmente, pela Mitologia, o que a própria Helena almejava ou que tipo de mulher era realmente. É como se ela mesma fosse água e todos os homens a percebessem no reflexo da profundeza de suas próprias almas. Ela é um código, um mistério, motivada por seus propósitos e sentimentos secretos. Pode ser considerada uma prostituta por oferecer os seus favores a tantos homens, dentre eles inimigos de sua própria terra natal.

Entretanto, temos a impressão de que, por mais apaixonada que estivesse, Helena somente faz o que gosta. Para ela, até a escolha de marido é uma opção livre, pois na história ela mostra o seu favoritismo por Menelau ao colocar uma coroa de flores em sua cabeça, um fato inusitado para uma mulher daquela época que, geralmente, era obrigada a se casar com a pessoa escolhida pelo pai ou pelos irmãos. Quando se cansa de Menelau, intrepidamente ela persegue a sua grande aventura amorosa com Páris, em vez de recorrer a encontros clandestinos. Independentemente de quem seja o homem que ama, ela se entrega totalmente a ele. Ela conquista os homens com facilidade, pois incorpora todas as íntimas fantasias inconscientes da mulher perfeita que eles sempre procuram.

A figura de Helena é tanto a de uma virgem como a de uma prostituta, uma calculadora e uma vítima. Resumindo, ela é um conjunto de paradoxos, pois, apesar de a lógica do coração ser indiscutível, ela ainda desafia a análise racional e, frequentemente, enfrenta a própria moralidade. A Rainha de Copas possui uma característica indefinida e, no entanto, ela provoca problemas onde quer que esteja, ativando as profundezas dos outros e promovendo a ação e o conflito sem fazer absolutamente nada. Portanto, ela pode ser considerada uma imagem do inconsciente, perseguindo seus propósitos secretos sem conhecimento da mente consciente e levando o indivíduo a uma crise ou um conflito, e para uma intensa paixão e destino por meio de seu misterioso poder sedutor.

Quando a Rainha de Copas aparece em uma abertura de cartas, ela indica um período para o indivíduo encontrar o mundo profundo, desconhecido e paradoxal do sentimento em si mesmo. A Rainha de Copas pode entrar na vida do indivíduo como uma mulher misteriosa e enigmática, não necessariamente como uma evidente sedutora, mas estranhamente perturbadora e um catalisador para o surgimento de fantasias e sentimentos profundos que, até então, permaneciam ocultos à consciência. Ela pode aparecer na forma de um ser amado ou como rival; de qualquer maneira, esse encontro não é uma mera casualidade. Ao contrário, é o prenúncio do surgimento dessas qualidades da alma que se encontram no indivíduo.

Para a mulher que não tem consciência da Helena em si mesma e se identifica com os lados maternais ou práticos da feminilidade, a Rainha de Copas indica que é o momento certo para encontrá-la, mesmo que o catalisador seja a "outra mulher".

Para o homem que não tem consciência da profundeza de sua alma e baseia sua realidade no pensamento racional e nos fatos concretos, a Rainha de Copas anuncia um aprofundamento e desenvolvimento da vida interior, quer o catalisador seja ou não uma mulher.

O Rei de Copas

A carta do Rei de Copas retrata um homem de pele clara, com cabelos e barba pretos, e grandes e compassivos olhos pretos. Ele veste uma túnica azul-escura e porta uma coroa dourada.
Ele está sentado em um trono dourado cujos braços são entalhados com dois caranguejos dourados. Na mão direita, ele segura uma taça dourada e, na esquerda, uma lira. A seus pés, degraus levam para a água de uma enseada da qual emerge um caranguejo. Atrás dele, além do promontório em que está assentado o trono, é possível vislumbrar um mar revolto.

O NAIPE DE COPAS

Na carta do Rei de Copas, deparamo-nos com a dimensão ativa e dinâmica da água que procura evidentemente formar relacionamentos, e até mesmo guiar e ajudar as pessoas. Esse quadro incorpora a figura mitológica de Orfeu, o cantor, que era sacerdote e curador, mas cuja história é triste e solitária, apesar de ter proporcionado consolo aos seus semelhantes. Orfeu era filho do rei Eagro da Trácia e da musa Calíope, sendo o mais famoso poeta e músico que jamais existiu. Apolo presenteou-o com uma lira e as musas o ensinaram a tocar, de forma tal que ele não somente encantava as feras, mas fazia até as árvores e as pedras se moverem para seguir o som de suas músicas. Ele se juntou aos Argonautas na busca do Velocino de Ouro e a sua música os ajudou a superar muitas dificuldades. Ao voltar, ele casou-se com Eurídice e estabeleceu-se na Trácia.

Contudo, a sua vida não estava destinada a felicidade. Um dia, um homem procurou assaltar Eurídice no vale do rio Peneu e, ao tentar fugir, ela pisou em uma cobra que a picou, causando-lhe a morte. Mas Orfeu ousadamente desceu para o Submundo procurando trazê-la de volta. Ele não somente encantou o barqueiro Caronte; Cérbero, o cão de três cabeças; e os três Juízes dos Mortos, com a sua música melodiosa, como também conseguiu suspender temporariamente as torturas dos condenados e tanto consolou o coração negro de Hades que obteve permissão de resgatar Eurídice ao mundo superior. Mas Hades exigiu uma condição: Orfeu não deveria olhar para trás enquanto ela não estivesse segura de volta à luz do Sol. Eurídice seguiu Orfeu pelas passagens escuras guiada pelo som de sua lira. Mas, no último momento, ele perdeu-a confiança e olhou para trás para ver se ela ainda o seguia e, dessa vez, perdeu-a para sempre.

A partir de então, Orfeu assumiu o papel de sacerdote, ensinando os mistérios e pregando os malefícios dos sacrifícios aos homens da Trácia. Porém, o deus Dioniso enciumou-se dele por causa de sua fama entre os homens, que começaram a adorá-lo como se fosse divino. O deus enviou as suas loucas Bacantes ao seu encalço e elas, furiosas que eram, reduziram-no a pedaços. Lamentando e chorando o ocorrido, as Musas recolheram seus restos mortais e os enterraram ao pé do Monte

Olimpo, onde os rouxinóis agora cantam mais docemente do que em qualquer outro lugar do mundo.

Orfeu, o Rei de Copas, é a imagem do curador ferido, a figura que, pela compaixão e pela empatia, pode curar os outros, mas não pode curar a própria ferida no domínio do coração. De muitas maneiras, ele é o antigo equivalente dos modernos assistentes sociais e dos psicoterapeutas — o indivíduo que almeja estar em contato com o mundo do sentimento e procura incessantemente ajudar as pessoas a se relacionarem, mas ao qual, às vezes, falta confiança em sua vida pessoal e, portanto, não consegue alcançar a realização tão desejada.

O Rei de Copas coloca o relacionamento e o amor humanos acima de tudo e empenha todos os seus esforços para iniciar e para preservar esse contato emocional. Entretanto, ele permanece curiosamente desconfortável e deve sempre olhar para trás para ver se o que iniciou continua acompanhando-o ainda intacto. E, assim, ele frequentemente perde o que mais deseja. A figura é profundamente paradoxal, como se o elemento água — que, de muitas formas, é uma imagem do mundo feminino do sentimento — estivesse desconfortavelmente sentado na presença da imagem masculina e dinâmica do Rei. Juntas, ambas ficam estranhas e criam uma peculiar ambivalência.

O Rei de Copas é uma figura de temperamento inconstante e sensível, e muitas vezes de sentimento profundo e um raro dom em comunicar esse sentimento para afetar e influenciar as pessoas. Ele mesmo nunca abre mão do controle. É por isso que as Bacantes de Dioniso, a multidão de mulheres extáticas que segue a corte do deus, o desmembram, pois, de certa forma, ele deve se tornar inofensivo e metaforicamente reduzido a pedaços, antes de se tornar algo além de conselheiro para as dores alheias. O próprio Orfeu não se realiza realmente na vida, já que colocou em risco a oportunidade da felicidade pessoal por meio de sua desconfiança na palavra de Hades. Isso, em si mesmo, nos mostra muito a respeito do Rei de Copas, pois, apesar de poder iniciar relacionamentos e falar constantemente a esse respeito, ele não confia totalmente no mundo do inconsciente que não pode enxergar. E, assim, o lugar de seu trono é perto da água, mas não pode mergulhar nela com medo de se afogar, o que significaria passar o controle para outra pessoa.

No sentido divinatório, quando o Rei de Copas aparece em uma abertura de cartas, indica que chegou o tempo de o indivíduo experimentar esse lado ambivalente de si mesmo — o dotado conselheiro e curador que pode empatizar e ajudar as pessoas, mas que não pode confiar na vida o suficiente para seguir o seu curso. É característico o fato de que muitas pessoas, cuja profissão se relaciona com a assistência social, escolhem essa vocação pois foram feridas em relacionamentos pessoais, dos quais permanecem em controle para não serem profundamente feridas novamente. Apesar de essa espécie de dinâmica poder ser uma grande contribuição para os outros, o indivíduo engana a si mesmo. Caso o Rei de Copas entre na vida do indivíduo na forma de uma pessoa que incorpore essas qualidades, então isso pode ser considerado como uma indicação de que seja o momento de encontrar-se com essa sua própria dimensão.

O NAIPE DE PAUS

As Cartas Numeradas

A história de Jasão e os Argonautas e sua expedição à procura do Velocino de Ouro é uma característica lenda heroica cheia de aventura e uma jornada corajosa ao desconhecido. Como a história é, na realidade, uma missão na qual o herói depende de suas faculdades além da vontade e do pensamento racional, a história de Jasão pode ser interpretada como uma descrição da imaginação criativa e de seu misterioso poder de provocar acontecimentos e de proporcionar soluções a partir dos níveis interiores que transcendem a nossa compreensão consciente. Portanto, a história de Jasão é uma aventura específica que diz respeito ao tema central da imaginação humana.

A origem do Velocino de Ouro, o objetivo mágico da missão de Jasão, era a seguinte: Frixo e Hele, filhos de Atamas, que, por sua vez, era filho de Éolo e rei de Orcómenes, eram odiados pela madrasta Ino. Com suas próprias vidas sendo ameaçadas, eles fugiram montados em um fabuloso carneiro, presente de Zeus, o rei dos deuses. Esse carneiro era dotado de razão e de fala; ele tinha um velocino de ouro e podia voar. Durante a fuga, Hele caiu no mar, e o lugar em que caiu foi mais tarde chamado de Helesponto. Mas Frixo teve mais sorte e alcançou a região da Cólquida, no Mar Negro. Ele então sacrificou o carneiro a Zeus, o seu protetor, e ofereceu o Velocino de Ouro a Aetes, rei daquela região, que o pendurou em uma árvore e colocou um dragão para vigiá-lo.

Enquanto isso ocorria, em Iolkos, na Tessália, reinava o rei Pélias, que usurpara o trono de Eson, o seu irmão mais velho. O filho de Eson, Jasão, quanto pequeno, foi confiado aos cuidados do centauro Quíron para que ele o protegesse da ira de seu tio Pélias. Mais tarde, Quíron revelou a Jasão o segredo de sua origem e ele, imediatamente, foi ao tio e exigiu, por direito, o governo do reino. Pélias ficou assustado, pois um oráculo o havia advertido sobre um homem que o visitaria vestindo uma única sandália. E esse homem era justamente Jasão, que havia perdido uma de suas sandálias ao cruzar o rio. Portanto, Pélias prometeu a Jasão que concordaria com o seu pedido, mas com uma condição: que Jasão fosse à Cólquida e lhe trouxesse o Velocino de Ouro que pertencia ao santuário de Zeus, em Iolkos.

Por conseguinte, Jasão começou a construir um navio de 50 remos, o "Argo", no qual ele colocou um ramo do carvalho profético de Zeus. Ele juntou os heróis mais famosos, entre eles Cástor e Pólux (os gêmeos guerreiros), Héracles, Orfeu, o cantor, e o rei Teseu de Atenas, e esses destemidos aventureiros partiram em busca do famoso Velocino de Ouro. A viagem foi cheia de incidentes e eles foram obrigados a lutar contra monstros e os homens, assim como contra os elementos. Finalmente, eles chegaram ao reino de Aetes, onde o Velocino de Ouro era guardado. Por sorte de Jasão, a filha do rei Aetes, a feiticeira Medeia, apaixonou-se por ele e o ajudou a vencer o dragão que vigiava o precioso troféu. O rei Aetes procurou impedir a fuga dos Argonautas com soldados ferozes que surgiram dos dentes do dragão que Jasão matara, mas os heróis conseguiram zarpar em seu navio, o "Argo", perseguidos de perto por Aetes. Medeia, que acompanhara Jasão e que não morria de amores pela família, cruelmente cortou seu irmão Absirto em pedaços e os espalhou pelo mar. Em sua dor, Aetes ordenou que a frota parasse para recolher os restos do corpo do herdeiro, e o "Argo" com sua tripulação pôde então seguir a viagem de volta para Iolkos sem esse percalço.

Entretanto, a volta provou ser tão perigosa quanto a ida, e Jasão e seus companheiros tiveram de atravessar dois grandes e perigosos rochedos, Cila e Caríbdes, ao norte do Bósforo, cujas águas revoltas podiam esmagar um navio. Mas, finalmente, Jasão chegou a Iolkos com o Velocino de Ouro. Ali, ele descobriu que Pélias havia matado o seu pai Eson na certeza de que Jasão não voltaria de sua perigosa viagem. Jasão vingou a morte de seu pai por meio de Medeia que, com seus feitiços, fez com que suas filhas o matassem. Em seguida, Jasão assumiu o reino de Iolkos. Mas a sua vitória provavelmente subiu-lhe à cabeça, pois, insatisfeito com um só reino, ele procurou outro — a coroa de Corinto —, casando-se com Creusa, a filha do rei Creon de Corinto. Isso fez com que Medeia se enfurecesse a ponto de vingar-se matando não somente Creusa, mas também os filhos que teve com Jasão.

O NAIPE DE PAUS

Quanto a Jasão, alguns dizem que ele se enfastiou da vida e achou que o reino de Iolkos era um peso. Já velho e pensando constantemente em seus dias de glória, ele ficava sentado à sombra do velho "Argo" que apodrecia. Um dia, a popa do navio despencou sobre ele, esmagando-o à morte.

O NAIPE DE PAUS

O Ás de Paus

A carta Ás de Paus retrata um homem maduro de porte poderoso, barba e cabelos castanhos, uma coroa dourada na cabeça e uma túnica púrpura imperial. Ele está em pé diante de um cenário de altos picos nevados. Em seu ombro e descendo até o chão, a pele dourada de um carneiro. Em sua mão direita, ele segura o globo do mundo e, na esquerda, uma tocha acesa.

No Ás de Paus, encontramos novamente Zeus, rei dos deuses, o iniciador e a força motriz na lenda de Jasão e o Velocino de Ouro. Trata-se do Velocino sagrado do próprio Zeus que o herói deve resgatar e é esse Velocino que serve de símbolo da visão criativa que nos impulsiona a afastar-nos do mundo seguro e convencional para um objetivo imaginado, por caminhos desconhecidos.

Zeus é um deus antigo e poderoso, e uma de suas mais antigas representações era a divindade com cabeça de carneiro, o invisível poder criativo que gerou o Universo manifestado. Em nosso interior, Zeus incorpora o invisível poder criativo da imaginação, que não pode ser compreendido, mas é responsável por todos os esforços e produtos concretos de nossas vidas. Não é somente o artista que usa a imaginação criativa, apesar de que no artista podemos enxergar o seu poder — e a sua impressionante autonomia — bem claramente.

Na carta do Imperador dos Arcanos Maiores, deparamo-nos com o lado patriarcal de Zeus, o Pai de Todos. No Ás de Paus, encontramos o seu espírito volátil e esse Zeus, tal como Afrodite, é uma força da Natureza. Todos temos essa força dentro de nós. Zeus é a capacidade de visualizar um potencial futuro diferente e maior do que a realidade concreta na qual nos encontramos — quer seja um plano para redecorar uma sala de estar ou o conceito para um novo negócio. Muitas pessoas não confiam nessa faculdade imaginativa, acreditando ser "boba" ou "infantil", ou não assumem o risco da ideia nova com medo de que fracasse. Mas o grande Zeus não é "bobo", nem tampouco "infantil", e o Ás de Paus que retrata o surgimento inicial da energia criativa primitiva é uma carta poderosa. A nova ideia ainda não foi formulada, mas há um profundo sentido de nervosismo e um sentimento de abertura na vida. É esse sentido que impulsiona Jasão para a sua missão do Velocino de Ouro. Ele poderia ter simplesmente deposto o seu tio Pélias e ficado em casa, em Iolkos. Portanto, o Ás de Paus implica o início da grande jornada no mundo da visão e da imaginação, no qual as limitações concretas são desafiadas e superadas e a vida, depois, nunca mais será igual.

No sentido divinatório, o Ás de Paus anuncia o surgimento da energia criativa, apesar de ela ainda não ter sido formulada como uma meta ou um projeto. O nervosismo e a insatisfação com as presentes circunstâncias são acompanhados de um forte sentimento de que coisas novas são possíveis. O indivíduo está prestes a embarcar em uma aventura em busca de um sonho.

O Dois de Paus

A carta Dois de Paus retrata o jovem Jasão em pé e pensativo diante da caverna do Centauro Quíron, antes de se dirigir ao encontro com seu tio para reivindicar a sua herança. Quíron é apenas visível na escuridão da caverna. Jasão veste uma túnica escarlate e segura duas tochas acesas nas mãos.

O Dois de Paus, como os Dois de todos os Arcanos Menores, polariza a energia primitiva do Ás e, aqui, essa polarização implica o aventureiro e a sua meta recém-estabelecida. O nervosismo e o poder ainda indefinidos do Ás começaram a aglutinar-se para formar uma visão particular, apesar de ainda não ser claro como essa visão ou meta poderá ser alcançada. Jasão nada sabia a respeito do Velocino de Ouro, mas agora ele já sabe, porque Quíron contou-lhe a sua história e do seu direito ao trono de Iolkos. Aqui, o sentimento de potencial cristalizou-se em algo definido, mesmo que a verdadeira aventura criativa do futuro de Jasão — a busca do Velocino de Ouro — somente tenha surgido depois que ele empreendeu o primeiro estágio de sua jornada.

É assim que começam todos os empreendimentos: um pouco de cada vez. Uma ideia leva a outra e, muitas vezes, a primeira não é a derradeira, mas simplesmente um prelúdio. Entretanto, o prelúdio é suficiente para nos impulsionar para fora do santuário da caverna, em razão do sentido de que poderíamos ter mais do que temos na realidade, ou sermos mais do que somos. A jornada de Jasão para Iolkos, o lugar de sua herança por direito, é entremeada de perigos, pois ele tem um inimigo que prazerosamente lhe tiraria a vida. Ele não pode prever o resultado nem tampouco se conseguirá ou fracassará em seu intento. Mas ele acredita em sua visão o suficiente para tentar e segura firmemente as tochas que simbolizam o fogo da imaginação. Do contrário, ele — ou nós — permaneceria tranquilo, mas para sempre reprimido em sua caverna; seguro, mas nunca realizando os potenciais que são seus por direito; por outro lado, esses potenciais precisam de visão para que possam ser concretizados.

No sentido divinatório, o Dois de Paus anuncia a formulação de uma nova meta, ideia, objetivo ou projeto criativo. Essa nova ideia pode não ser a forma final do futuro, mas tem muito potencial e é suficientemente atrativa para incentivar o indivíduo a sair dos seus presentes limites, impulsionando-o para uma nova iniciativa. Aqui tudo depende da coragem de o indivíduo assumir a nova ideia e ter fé naquela força criativa invisível que gerou a visão desse novo caminho.

O Três de Paus

A carta Três de Copas retrata Jasão recém-chegado à cidade de Iolkos. Ele veste uma única sandália, havendo perdido a outra ao cruzar o rio, confirmando dessa maneira o oráculo que profetizara o seu advento. De modo triunfal, na mão direita ele segura três tochas em chamas. Aos seus pés, está ajoelhado o usurpador, o rei Pélias, de barba e cabelos pretos e vestido em púrpura real, que lhe oferece com aparente humildade a coroa dourada, assumida ilegalmente.

O Três de Paus, como todos os Três dos Arcanos Menores, representa o estágio inicial da inteireza. Aqui, trata-se da aparente integralidade da ideia criativa original. Há motivo para comemorar e parece que tudo acontece conforme planejado. Jasão chegou ao local de sua herança e, vejam só, sem qualquer resistência aparente. Com medo do oráculo, Pélias parece querer abdicar voluntariamente ao trono que usurpou. E assim, muitas vezes o trabalho criativo parece ter um início fácil; os contatos certos aparecem como por mágica, os esquemas preliminares parecem favoráveis e a ideia parece adquirir substância, como se fosse por intervenção divina.

Entretanto, há um trabalho árduo pela frente e, frequentemente, novas ideias surgem nesse estágio — detalhes que não havíamos considerado, mas que envolverão atrasos, alterações de planos e muito mais esforço que o previsto. O Três de Paus implica um ponto alto, mas ainda há muito mais na sequência.

Agora Pélias conta a Jasão a respeito do Velocino de Ouro que se encontra em Cólquida, sugerindo, para os seus próprios planos malévolos, que pouco significa ser rei de Iolkos sem a restauração do precioso Velocino de Ouro no santuário de Zeus. É nesse ponto, após a comemoração inicial, que muitos potenciais criativos caem por terra, pois o estágio de inteireza inicial não é um resultado final e, sem a vontade do indivíduo em seguir um pouco além, a ideia não pode ser totalmente realizada. O mundo está cheio de planos incompletos e esquecidos em alguma gaveta, cujas 20 primeiras páginas tiveram um bom início. A mensagem aqui é: aproveitem a satisfação enquanto puderem, pois a ideia ainda não foi completada. A verdadeira confiança criativa somente pode ser encontrada caso a ideia seja testada, envolvendo o indivíduo ao máximo.

No sentido divinatório, o Três de Paus implica o estágio de inteireza inicial de uma ideia ou de um projeto criativo. Bases seguras foram estabelecidas, o entusiasmo é grande e há um sentimento de satisfação e otimismo a respeito do potencial futuro do projeto. Mas também há muito trabalho à frente e novos planos que devem ser engendrados antes de a ideia ser totalmente realizada.

O NAIPE DE PAUS

O Quatro de Paus

A carta Quatro de Paus retrata Jasão e seus companheiros de viagem comemorando o fim da construção do grande navio Argo que os levará para a Cólquida em busca do Velocino de Ouro. O navio, com suas velas vermelhas e ostentando o emblema de um clarão de Sol dourado, aguarda a subida da maré. Ao redor da figura de Jasão, que veste uma túnica vermelha, estão cinco de seus heroicos companheiros: Héracles (com o qual nos deparamos na carta da Força dos Arcanos Maiores), portando a sua pele de leão e segurando uma tocha flamejante; Teseu, rei de Atenas (que encontraremos mais adiante na carta do Rei de Paus dos Arcanos Menores), com uma coroa dourada, vestido de vermelho-carmesim e segurando uma tocha flamejante; Cástor e Pólux, os Gêmeos Guerreiros (que encontraremos mais adiante na carta do Cavaleiro de Espadas), ambos portando uma armadura prateada e uma tocha flamejante; e Orfeu, o Cantor (com o qual nos deparamos na carta do Rei de Copas), trajando uma túnica azul e segurando a sua lira.

O Quatro de Paus é a carta da colheita e da recompensa. O desafio de uma nova ideia criativa foi enfrentado, muito trabalho foi feito e agora o indivíduo pode colher a sólida recompensa conseguida por meio do esforço. Da mesma forma que o Três de Paus, essa carta implica algo que merece ser comemorado; mas, diferentemente do Três de Paus, ela possui uma base mais sólida e os benefícios já são evidentes. O desafio de conquistar o Velocino de Ouro é assombroso; como pode um homem sozinho navegar aos confins do mundo e com que meios? Jasão correspondeu a esse desafio cercando-se dos amigos para ajudá-lo a alcançar os seus objetivos. Todos esses heróis da Mitologia têm habilidades diferentes, de acordo com suas naturezas. Héracles tem a força; Teseu, um fogoso aventureiro como Jasão, a visão criativa; os Gêmeos, a mente afiada; e Orfeu, o sentimento profundo e a empatia para desarmar qualquer inimigo. Se considerarmos todos esses amigos como pessoas reais cujo apoio podemos angariar ou como recursos interiores dos quais podemos usufruir nesse estágio do processo de trabalho criativo, a ajuda está disponível e poderá permitir o alcance dos nossos objetivos. Com essa tripulação heroica e esse navio esplêndido, a satisfação de Jasão está garantida.

No sentido divinatório, o Quatro de Paus prevê um período de recompensa pelos esforços empreendidos. Uma nova ideia produziu frutos prematuros e o indivíduo tem todo o direito de comemorar os resultados concretos de seus esforços. Mas esse é tão somente um estágio da jornada e logo o navio deverá zarpar para enfrentar os maiores desafios antes de atingir a meta final.

O Cinco de Paus

A carta Cinco de Paus retrata a luta de Jasão com o dragão que vigia o Velocino de Ouro. Enorme e coberto de escamas, o dragão sopra fogo de sua boca enquanto, com suas garras, ele segura o Velocino. Jasão o enfrenta com duas tochas flamejantes.

Ao seu lado, está a feiticeira Medeia, filha do rei Aetes da Cólquida, que por ele se apaixonou e o ajuda nessa empreitada. Ela é linda com seu cabelo preto, trajando um vestido vermelho e segurando três tochas flamejantes.

O Cinco de Paus representa a luta. Aqui, a visão criativa colidiu com a realidade do mundo na forma do dragão que, na Mitologia, é a força primitiva da terra que resiste à mudança. O problema em aplicar limites na vida prática — assim como as nossas próprias limitações da inércia regressiva — é o maior desafio para qualquer indivíduo que deseja expressar o poder de sua imaginação criativa na vida real. Essa luta com o dragão pode assumir a forma de problemas financeiros ou o problema de habilidades insuficientes (quando o indivíduo precisa estudar ou treinar mais para dominar uma profissão), ou a dificuldade de um corpo fraco (pelo cansaço ou por doença, causado pelo excesso de esforço enquanto esteve impacientemente preso à visão), ou o dilema de ajustar a visão ao mercado prevalecente (que inevitavelmente é conservador demais, cauteloso ou desvalorizado); essa carta simboliza dificuldades em nível concreto. Muitas vezes essas dificuldades concretas coincidem e são causadas pelo medo do insucesso e por uma profunda apatia que, em si mesmos, também fazem parte da imagem do dragão. Mas o dragão deve ser enfrentado, do contrário Jasão não poderá levar o Velocino, e os obstáculos que surgem durante o trabalho criativo — interno ou externo — não podem ser evitados. Inevitavelmente, a imaginação colidirá com a resistência da realidade e, de alguma forma, as duas deverão acomodar-se.

No sentido divinatório, o Cinco de Paus prevê um período de luta durante o qual o indivíduo deve enfrentar o dragão da realidade material para alcançar a sua meta. Assuntos cotidianos podem começar a dar errado e é preciso prestar mais atenção às exigências e aos limites da realidade concreta; o indivíduo também pode ficar preso a um humor depressivo ou apático. Comprometimentos devem ser assumidos, mantendo ao mesmo tempo a integridade da visão original.

O Seis de Paus

A carta Seis de Paus retrata Jasão vitorioso após a sua luta com o dragão. O herói levanta o Velocino de Ouro em triunfo.
Atrás dele, seis dos seus amigos-heróis estão festejando, cada um segurando uma tocha acesa.

O Seis de Paus representa uma experiência de triunfo, de reconhecimento e de aclamação pública. A luta com o dragão já aconteceu e Jasão fez jus à sua recompensa; o Velocino está em suas mãos e seus amigos levantam suas tochas para honrá-lo em reconhecimento. Essa carta representa um momento inebriante para o indivíduo que se esforçou para expressar uma nova ideia ou uma visão criativa para as outras pessoas, pois é o momento em que somos reconhecidos pela coletividade por nossos esforços. O empreendimento criativo foi aprovado não somente pelos nossos entes queridos, mas pelo mundo exterior, que na carta do Cinco de Paus apareceu, inicialmente, como o terrível dragão-terra que parecia frustrar todos os esforços.

O NAIPE DE PAUS

O estágio, um tanto inebriante, refletido pelo Seis de Paus pode assumir muitas formas, de acordo com o nível do objetivo e das aspirações do indivíduo. O atleta que treinou e se preparou durante cansativos meses e até anos sabe disso quando vence uma competição, assim como o indivíduo que almeja uma promoção também o reconhece quando, finalmente, uma nova posição lhe é oferecida. O escritor aprecia-o quando o seu livro é publicado e aclamado, e assim também o estudante, quando finalmente recebe o seu diploma. Independentemente da dimensão, a meta aqui é alcançada e reconhecida pelos outros. Portanto, o Seis de Paus é uma das cartas dos Arcanos Menores que mais proporciona satisfação individual, pois significa a validação pública de uma visão criativa que se iniciou em meio à ansiedade e à incerteza.

Mas até o Seis de Paus deve ceder o seu lugar para a carta seguinte, pois Jasão ainda não levou o Velocino de volta para Iolkos. O reconhecimento público provoca os seus próprios dilemas, apesar de representar um pico na vida criativa, pois a imaginação é fértil, e novos desafios — de forma particular a inveja e o sentido de competição — podem surgir no momento do triunfo.

No sentido divinatório, o Seis de Paus prevê a aceitação pública e o reconhecimento de alguma espécie. Isso pode assumir a forma de uma promoção, uma qualificação ou o reconhecimento de algum trabalho criativo.

O Sete de Paus

A carta Sete de Paus retrata a luta de Jasão com o rei Aetes da Cólquida, que ele deve derrotar para poder levar de volta o Velocino de Ouro. Jasão, segurando duas tochas flamejantes, luta com o rei que veste uma túnica vermelho-fogo e segura outra tocha flamejante. Dois dos amigos-heróis de Jasão – Héracles e Teseu – estão em combate com dois guerreiros do rei que, vestindo armaduras, surgiram dos dentes do dragão. Os dois heróis e os dois guerreiros do rei seguram tochas flamejantes.

O NAIPE DE PAUS

Tal como o Cinco de Paus, o Sete de Paus retrata uma luta, mas aqui se trata de um combate entre homens, diferentemente do combate do herói contra o estranho dragão-terra. A visão criativa do Velocino de Ouro conquistado em triunfo das garras do dragão aqui leva para o que poderíamos chamar de pura competição, pois Aetes também quer o Velocino e está preparado para lutar por ele. Portanto, o reconhecimento inerente ao Seis de Paus provoca a inevitável resposta: mais alguém quer o que trabalhamos tão arduamente para conseguir, e somos mergulhados em uma competição que nos desafia a empenhar mais esforços. A mensagem é que não podemos permanecer estagnados com os nossos louros ou alguém virá para roubá-los. O problema da inveja e da competição é um fato da vida criativa que o indivíduo que trabalha nessa esfera deverá aceitar. A imaginação não somente concentra a visão em uma pessoa, mas também estimula a visão de outras. A competição é a companheira inevitável do sucesso criativo e, frequentemente, é o próprio medo de não consegui-lo que faz com que as pessoas desistam de tentar.

Na realidade, o desafio do Sete de Paus é uma prova de fé do próprio indivíduo. Quanto estamos dispostos a lutar pelo que já conseguimos conquistar? Essa ameaça do "exterior" é um estímulo para a individualidade como também para a própria imaginação que deverá então criar novas e melhores formas. Em muitos aspectos, o rei Aetes tinha tanto direito ao Velocino de Ouro quanto Jasão, pois ele o possuiu antes. E essa é a falta de moral do mercado no qual não adianta ficar chorando: "Mas fui eu quem primeiro teve essa ideia!" Simplesmente devemos lutar para que a ideia funcione e para torná-la ainda melhor, pois ninguém consolará o perdedor que, certa vez, teve uma boa ideia.

No sentido divinatório, o Sete de Paus prevê uma luta pelas ideias criativas de outras pessoas — pura competição. O indivíduo é desafiado a melhorar e a desenvolver o seu projeto diante de um mundo invejoso e competitivo, e precisa aprender a valorizar a sua ambição e o seu instinto competitivo.

O Oito de Paus

A carta Oito de Paus retrata a viagem de volta de Jasão após a sua fuga bem-sucedida do irado rei Aetes. Podemos ver o Argo com todas as velas içadas e oito tochas acesas em sua ponte. Acompanhando o navio, golfinhos brincam nas ondas.

O Oito de Paus representa uma liberação de energia criativa depois que as ansiedades e os esforços do Sete de Paus foram superados. O conflito estimula a imaginação e, se tivermos a capacidade de enfrentá-lo e atravessá-lo, sempre haverá um período de trégua quando os nossos planos prosseguem em direção da meta a passos largos, com um sentimento de leveza e de confiança. Essa liberação de energia somente surge das tensões que estão amainando, como se a confiança resultasse unicamente da superação de obstáculos.

A experiência da liberação de uma nova energia criativa pode ser vista em muitos esportes competitivos nos quais, após um conjunto de dificuldades, há um brusco impulso e o indivíduo ou a equipe se lança para a meta. Também é uma experiência comum para o pintor, o escritor, o ator e o músico — e qualquer artista criativo que atravessou o bloqueio e está "a caminho de casa". A euforia desse estado não surge simplesmente do nada; ela é o preço que pagamos ao enfrentar o desafio da competição e da dúvida, das quais nos levantamos com energia renovada. Isso nos diz algo a respeito de por que precisamos dos conflitos em nossas vidas para poder criar e porque tantos artistas parecem cortejar os conflitos e a competição com outros. Há um misterioso relacionamento entre os trabalhos da imaginação criativa e a presença de um conflito saudável em nossas vidas. A Mitologia também conta a respeito desse relacionamento, pois o deus Zeus, que preside a história de Jasão, existe em um estado de constante tensão e luta com a sua esposa Hera. Ela, incorporando as leis do matrimônio e da vida doméstica, eternamente o restringe e, ao mesmo tempo, desafia-o a criar. Da mesma forma, nós também precisamos de restrição e de desafios para poder gozar o fluxo excitante da energia que o Oito de Paus retrata por meio da imagem de Jasão e de sua tripulação em seu caminho de volta para casa.

No sentido divinatório, o Oito de Paus anuncia um período de ação depois de um atraso ou de uma luta. Uma viagem pode ser implicada ou um longo trecho de frutífera atividade criativa durante o qual a imaginação flui desimpedida depois que as ansiedades e as tensões foram superadas ou resolvidas.

O Nove de Paus

O Nove de Paus retrata a prova final de Jasão e de seus Argonautas antes de o objetivo ser alcançado: a passagem pelos rochedos Cila e Caríbdes. Ao longe, a cidade de Iolkos pode ser vista com nove tochas flamejantes na praia. O navio, Argo, com as velas desmanteladas, encontra-se na passagem entre os rochedos, ainda em perigo. Em volta do navio desencadeia-se uma tempestade e o mar é turbulento.

O Nove de Paus é a carta da reserva de força. Ele retrata o tremendo poder da imaginação criativa, pois justamente quando sentimos que não podemos mais lutar ou nos confrontamos com outra dificuldade, de alguma maneira, no meio desse estresse, as ideias e a energia se tornam disponíveis para enfrentar esse desafio final antes do objetivo. As velas desmanteladas do Argo refletem o estado de exaustão de Jasão e de seus amigos, pois passaram por muitas provas e dificuldades, e estão quase chegando em casa com o Velocino de Ouro. É exatamente nesse momento que, muitas vezes, o inevitável desafio final surge diante das nossas ideias criativas e projetos. E sentimos, nesse momento, que simplesmente não podemos seguir em frente; a energia foi totalmente gasta e a força desgastada, tudo feito por nada.

Mas existe em nós algo misterioso e impressionante que é despertado para fazer frente a esse desafio e, então, presenciamos o aspecto mais perturbador e milagroso: o espírito criativo dos seres humanos. Apesar de não poder controlá-lo ou curvá-lo à nossa vontade — não mais do que os gregos antigos pudessem exigir da obediência de Zeus às leis humanas —, ele está disponível para ajudar-nos quando estivermos em nossos derradeiros limites. É aí que a nossa imaginação proporciona uma brusca injeção de vida, esperança e ideias novas. Se tivermos a vontade de tentar uma vez mais, a energia estará disponível e o objetivo final poderá ser alcançado.

No sentido divinatório, o Nove de Paus anuncia um período em que, no ponto de exaustão, um desafio final surge para impedir que alcancemos a nossa meta; e quando, de alguma forma, encontramos misteriosamente a reserva de força para fazer frente ao desafio. Essa força somente é disponível quando todas as possibilidades foram exauridas e parece ser invocada tanto pela nossa necessidade quanto pela nossa disponibilidade, apesar da exaustão, em tentar uma vez mais.

O Dez de Paus

A carta Dez de Paus retrata Jasão sentado diante dos destroços do navio Argo, totalmente exausto. Ele voltou vitorioso para Iolkos e está com um traje real vermelho e uma coroa dourada; aos seus pés, o Velocino de Ouro. Ele está curvado pelo peso das dez tochas flamejantes, distribuídas em suas costas e seus ombros.

O Dez de Paus retrata um estado de opressão. Jasão cumpriu o que havia planejado fazer, mas, ao final da história, ele é uma figura triste, sobrecarregada e esmagada pelas preocupações, enquanto o navio Argo, uma vez glorioso, o transportador de heróis, está em ruínas e apodrecendo. A princípio é difícil entender por que essa lenda de visão e de feitos heroicos devesse culminar em uma imagem tão pesada e triste. Mas essa última carta do naipe de Paus revela algo importante a respeito da imaginação criativa: ela pode não funcionar mais quando fica presa sob o peso das responsabilidades materiais.

Essa dura lição ocorre a muitas pessoas que se propõem a iniciar um negócio ou objetivam um sucesso criativo. Com o passar do tempo e com o crescimento e a solidez do empreendimento, o espírito de aventura e o entusiasmo do começo parecem sumir. No processo de atingir a sua meta e recuperar o seu trono, Jasão deixou de valorizar os elementos imprevisíveis, como aqueles que Medeia personifica, e dessa maneira ele "se vendeu", esquecendo-se da ousadia e da desenvoltura que primeiro o empurraram para a aventura. O poder volátil da imaginação não se deixa prender às formas pesadas e estruturadas. Frequentemente, o tédio e a depressão acompanham a integralidade de um trabalho criativo, pois, enquanto a tensão do esforço empenhado em ideias criativas gera mais ideias, suas concretizações finais significam que a imaginação não pode mais se expressar livremente.

Portanto, a imaginação precisa de campos novos e o indivíduo que, como Jasão, se agarra às formas que construiu pode deparar-se com uma certa opressão e exaustão sem razões aparentes. Esse é o momento de abrir mão de alguma defesa e segurança para que a imaginação possa ser despertada com uma nova ideia, uma nova meta e uma nova aventura.

No sentido divinatório, o Dez de Paus sugere que o indivíduo está sobrecarregado e oprimido por ter assumido responsabilidades em demasia e além de sua capacidade de suportar. A imaginação foi sufocada pelas excessivas preocupações materiais e parte daquela jovem ousadia e disposição simplesmente se perdeu. É preciso renunciar a certas coisas para que o processo criativo possa ser renovado e um novo ciclo recomece.

O NAIPE DE PAUS

As Cartas da Corte

O Pajem de Paus

A carta do Pajem de Paus retrata um garoto de cerca de 12 anos, de cabelos castanhos e vestindo uma túnica laranja. Ele monta um carneiro de pele dourada que voa sobre rios e campos verdes e amarelos, segurando uma tocha flamejante. À sua frente, o Sol aparece espalhando a sua luz alaranjada sobre o cenário.

Na carta do Pajem de Paus, deparamo-nos com o elemento Fogo em seu mais delicado e frágil início — os primeiros movimentos da inspiração criativa que, geralmente, se manifesta com certa excitabilidade e desconforto com as condições existentes. O Pajem é encenado por Frixo, com o qual já nos deparamos na história de Jasão e o Velocino de Ouro. Ele realmente inicia essa história, apesar de não ser um dos heróis que dela participam nem tampouco o deus que a preside, mas é quem leva o Velocino de Ouro para o distante reino da Cólquida e longe do perigo.

O NAIPE DE PAUS

Frixo era filho do rei Atamas que, por ordem de Zeus, se casara com a mulher fantasma chamada Néfile, que lhe deu dois filhos: o menino Frixo e a menina Hele. Finalmente, a mulher fantasma desapareceu e Atamas casou-se com uma mortal, Ino, que tinha ciúmes tanto de sua antecessora quanto das crianças. Ino convenceu as mulheres locais a ressecar secretamente as sementes de trigo para prejudicar a safra do grão e espalhou o comentário de que o oráculo de Delfos exigia o sacrifício de Frixo a Zeus para neutralizar a "maldição". Sua intenção era eliminar Frixo para que um filho seu pudesse ser o herdeiro do trono.

Mas Zeus zangou-se com o fato de seu nome ter sido envolvido nessa tentativa de vingança e enviou o seu carneiro alado para salvar Frixo, que montou o animal e puxou a irmã atrás dele. O carneiro dirigiu-se para o leste, em direção à Cólquida. Infelizmente, Hele perdeu o seu ponto de apoio e caiu no mar. Mas Frixo conseguiu chegar à Cólquida, onde sacrificou o carneiro a Zeus. Assim, Frixo é considerado o mensageiro e o cenógrafo que prepara a ação antes de os conhecidos heróis entrarem no palco da história.

Frixo, o Pajem de Paus, é a imagem daquele frágil início da imaginação criativa que muitas vezes encontra dificuldades entre as pessoas mais realistas e nas exigências e responsabilidades do mundo material. O perigo no qual o garoto se encontra é característico do Pajem de Paus, pois essa figura, apesar de prometer um potencial futuro que ainda não emergiu, frequentemente se manifesta de início como uma irritabilidade e um nervosismo que provocam as pessoas e causam problemas na vida e no trabalho pessoal. Mas Frixo é inocente e, portanto, Zeus o favorece concedendo-lhe um precioso presente. O Pajem de Paus marca o início do surgimento de uma nova ideia criativa, mas, como todos os Pajens dos Arcanos Menores, precisa de cuidados, proteção e orientação para que essa pequena chama não seja apagada pelo ciúme e pela inveja de outras pessoas ou pelo sentido de negatividade e de dúvida do próprio indivíduo. Zeus, rei dos deuses e incorporação do fogoso espírito criativo, é o único que enxerga o verdadeiro valor de Frixo e é preciso que tenhamos algum contato com esse princípio arquetípico dentro de nós mesmos antes de poder valorizar esse delicado início da expressão imaginativa.

Frixo abre a história, mas não participa dela e desaparece diante do esplendor e do poder do herói Jasão. Isso também reflete algo a respeito do Pajem de Paus. Muitas vezes as primeiras ideias refletidas por essa carta são infantis e não representam suas formas finais, que acabam resultando em um importante esforço criativo. Frequentemente, o conceito inicial desaparece para ser substituído por algo melhor e mais sólido. Mas esse início permite que o processo seja ativado e, sem esses movimentos frágeis, nada seria desenvolvido na esfera das novas ideias criativas. Afinal, não é a personalidade de Frixo que nos chega pela Mitologia — ele é imaturo e jovem demais para realmente possuir uma personalidade —, mas é o seu papel de mensageiro e guardião inicial do Velocino de Ouro, que pertence a Zeus, o emblema do grande poder criativo do deus. Portanto, o Pajem de Paus pode não indicar um novo projeto ou ideia com sucesso garantido e a sua agitação pode ser facilmente descartada como "ingênua" ou "fantástica". Ele pode apontar para o poder da imaginação, avisando-nos que há muito mais no local do qual surgiu a primeira ideia.

No sentido divinatório, quando o Pajem de Paus aparece em uma abertura de cartas, ele anuncia que chegou o momento de o indivíduo descobrir esses impulsos de potencial criativo dentro dele mesmo. Muitas vezes podem se manifestar por um certo nervosismo no trabalho, um sentimento vago de insatisfação não suficientemente forte para motivar uma mudança e uma indicação de que temos a capacidade de expandir, de alguma forma, a própria vida. As fantasias iniciais que acompanham essa agitação não têm o poder impulsionador do Ás de Paus e, no final, podem vir a ser impraticáveis ou impossíveis. Mas é importante que sejam consideradas seriamente, pois elas são os arautos de uma fonte mais forte de inspiração e precisam ser alimentadas e não rejeitadas, como se essa excitação fosse meramente "uma má fase" em vez do prenúncio de algo mais criativo.

O Cavaleiro de Paus

A carta do Cavaleiro de Paus retrata um exuberante jovem montado em um cavalo alado trajando uma túnica vermelha e uma armadura e um elmo dourados. Uma aljava de flechas em seu ombro e uma tocha flamejante em sua mão. O cavalo branco está voando enquanto embaixo, na terra, encontra-se um monstro que o jovem matou com uma flecha. O monstro tem cabeça de leão, corpo de carneiro e cauda de serpente.

Na carta do Cavaleiro de Paus, deparamo-nos com a volátil, mutável e efervescente dimensão do elemento Fogo, que está em constante movimento e eternamente buscando novos desafios. Ele é encenado pela figura mitológica do herói Belerofonte, que domou o cavalo alado Pégaso, matou a monstruosa Quimera e, em seguida, foi arruinado por sua própria arrogância, que o levou a tentar voar para o Monte Olimpo, a morada dos deuses.

Belerofonte teve de fugir de Corinto, sua terra natal, por haver matado acidentalmente o seu próprio irmão Belero, e procurou santuário na corte do rei Preto de Tirinto. Mas a esposa desse rei apaixonou-se pelo impetuoso e um tanto ambíguo rapaz e, ao ser rejeitada pelo jovem, o acusou diante do rei Preto de tentar seduzi-la. Acreditando na história da esposa, o rei decidiu destruí-lo. Belerofonte foi então enviado em uma aparente missão fatal — a destruição da Quimera, um monstro que soprava fogo. Mas o jovem teve a sorte de ser ajudado por um adivinho que o instruiu em como capturar e domar Pégaso. Belerofonte encontrou o cavalo e jogou sobre a sua cabeça uma rédea dourada que Atena lhe havia dado. Ele então venceu a Quimera voando sobre ela no dorso de Pégaso, enchendo-a de flechas e arremessando a sua lança, em cuja ponta havia colocado uma bola de chumbo, na boca do monstro; o fogo que a Quimera soprava derreteu o chumbo que, líquido, escorreu em sua garganta, matando-a.

Em vez de demonstrar a apropriada modéstia com respeito ao seu feito, Belerofonte tornou-se arrogante e prepotente. No auge de sua sorte, com presunção, tentou alcançar o Olimpo como se fosse imortal. Furioso, Zeus enviou uma vespa que picou Pégaso por baixo da cauda, fazendo-o empinar, desmontando Belerofonte, que despencou vergonhosamente para a terra.

Belerofonte, o Cavaleiro de Paus, é a imagem do desejo por novas e mais gloriosas aventuras. Essa figura ambivalente, muito criativa e desprendida da realidade, pois, apesar de ser a primeira a pressentir coisas novas, assim como a primeira a enfrentar um desafio, por mais difícil que seja, também é a nossa tendência à presunção e a uma espécie de pretensão de que a boa sorte deva ser proporcionada pela vida, independentemente de quem sejamos ou do que façamos.

O Cavaleiro de Paus é um sedutor — as mulheres tendem a amá-lo, tal como a esposa do mitológico rei Preto —, mas ele não é confiável, pois nenhuma mulher consegue segurá-lo quando uma nova aventura se apresenta. Ele é intuitivo e imaginativo, e, em termos modernos, poderíamos até chamá-lo de tendencioso, pois é o primeiro a assumir uma nova ideia, uma nova moda, um novo estilo de vida, bem antes de o restante da humanidade se conscientizar do valor dessa novidade.

O Cavaleiro de Paus não é um seguidor, como também não é um líder, pois é autocentrado demais e facilmente entediado para assumir a responsabilidade de dirigir outras pessoas. Como Dom Quixote do famoso épico de Cervantes, ele ataca moinhos de vento e assume causas ou desafios que podem não ser realmente relevantes, mas a respeito dos quais está preparado a fazer um enorme alarde só porque parecem excitantes e o colocarão em destaque, como também o manterão ocupado durante um certo tempo.

O Cavaleiro de Paus é uma figura agradável e até adorável, e tendemos a perdoá-lo constantemente graças à sua natural positividade, seu fascínio, sua ingenuidade e suas boas intenções. Mas, como dizem, o caminho para o inferno está cheio de boas intenções, e nem todas as intenções dessa figura são realmente concretizadas. Ele está constantemente engendrando novas ideias que podem ser filtradas, consideradas e processadas por meio de uma visão mais realista, seja pelo próprio indivíduo ou por outra pessoa mais em contato com a realidade do que esse fogoso e volátil Cavaleiro. Então, a sua força pode ser apreciada enquanto a sua fraqueza é tornada menos prejudicial pela fria consideração dos fatos.

No sentido divinatório, quando o Cavaleiro de Paus aparece em uma abertura de cartas, ele anuncia que chegou o tempo para o indivíduo desenvolver as voláteis, exuberantes e aventurosas qualidades incorporadas na figura de Belerofonte. Muitas vezes, em nível divinatório, o Cavaleiro de Paus manifesta-se como uma mudança de residência, porque o indivíduo repentinamente se sente oprimido pelo ambiente no qual se encontra e sai à procura de campos mais amplos e verdes. Algumas vezes o Cavaleiro de Paus penetra na vida das pessoas como um jovem encantador, interessante e um tanto irresponsável, cheio de ideias novas e inspiradoras, mas que deve ser tratado com cuidado para que ele não nos leve a possíveis prejuízos. Se um desses indivíduos entrar em nossa esfera de relacionamentos, isso deve ser visto como um aviso de que essas qualidades estão tentando emergir de dentro de nós mesmos.

A Rainha de Paus

A carta da Rainha de Paus retrata uma linda e radiante mulher de cabelos castanhos, com um vestido amarelo e portando uma coroa dourada. Está sentada em um trono dourado cujos braços são entalhados com cabeças de leão e, aos seus pés, amarrada em uma corrente dourada, encontra-se uma leoa adormecida.

Em sua mão, uma tocha flamejante e, ao seu redor, um cenário de ricos campos verdes e dourados sob um céu azul-vivo.

Na carta da Rainha de Paus, deparamo-nos com a dimensão estável, vivificante e fiel do elemento Fogo, que aquece, anima e inspira. Ela incorpora a figura mitológica da rainha Penélope, esposa do famoso Ulisses de Ítaca. Ao nascer, Penélope foi jogada ao mar por ordem de seu pai, Ícaro, que esperava por um filho. Mas um grupo de patos listrados de vermelho a levaram para a superfície, alimentaram-na e levaram-na à praia. Impressionado com esse feito, Ícaro atenuou a sua decepção percebendo que a sua jovem filha devia possuir um destino especial.

Quando o seu marido Ulisses embarcou para a Guerra de Troia juntamente com os outros príncipes gregos, Penélope passou a governar a ilha com o seu único filho Telêmaco para ajudá-la. Depois de um bom tempo, presumindo que Ulisses havia morrido, 112 jovens príncipes insolentes das ilhas ao redor de Ítaca começaram a cortejar Penélope, cada um esperando casar-se com ela para assumir o trono. Eles até decidiram, entre si, assassinar Telêmaco. Quando pela primeira vez eles pediram que Penélope escolhesse um deles como marido, ela manteve a sua fé com a sua intuição e coração quanto à segurança de Ulisses e declarou que ele certamente devia estar vivo. Mais tarde, sendo pressionada, ela prometeu uma decisão assim que terminasse a mortalha que estava preparando para o velho Laerte, o seu sogro. Mas ela levou três anos nessa tarefa, tecendo de dia e desfazendo o seu trabalho à noite, até que um dos pretendentes percebeu o estratagema. Durante todo esse tempo, os príncipes insolentes ficaram desfrutando e divertindo-se no palácio de Ulisses, consumindo o seu alimento, bebendo o seu vinho e seduzindo as suas serviçais.

Nesse meio tempo, Ulisses chegou a Ítaca depois de dez anos de andanças e viagens, disfarçado de mendigo porque havia sido informado das atividades em seu palácio. Quando o tal "mendigo" ali apareceu, de início Penélope não o reconheceu, mas finalmente ele se revelou, destruiu os pretendentes insolentes e reuniu-se feliz à sua mulher. Entretanto, alguns negam que Penélope permaneceu fiel a Ulisses durante a sua longa ausência, pois era uma mulher de espírito e imaginativa. Eles a acusam de gerar o deus Pan com Hermes, o Mensageiro, o que pode ou não ser verdade.

Penélope, a Rainha de Paus, é a imagem da fidelidade do coração e a força da imaginação criativa para apoiar os objetivos escolhidos do coração. Em um certo sentido, ela é a representação da esposa fiel, mas essa sua fidelidade não é necessariamente literal e algumas versões do mito questionam essa técnica lealdade sexual. A fidelidade de Penélope surge em um nível muito mais profundo. Durante a longa ausência de seu marido, ela não tinha como saber se ele estava vivo ou morto e, às vezes, seria obviamente mais conveniente escolher outro marido e seguir em frente com a sua vida. Mas, intuitivamente, ela sabe que Ulisses voltará e é essa qualidade de fé e uma lealdade que não surgem da moralidade forçada, mas de uma convicção interior de que, ao final, tudo dará certo, que tornam Penélope uma figura tão apropriada para ilustrar a Rainha de Paus. Mas ela também é contida e estável, pois o seu fogo está controlado e torna-se o calor do aconchego, um centro ao qual muitos são atraídos — tal como os 112 pretendentes atraídos não somente pelo trono, mas também pela mulher.

A Rainha de Paus não sai correndo atrás de arcos-íris ou tenta voar para o Monte Olimpo — ideias mais típicas do Cavaleiro. Ela armazena a sua grande força e energia interiormente e as dedica às poucas coisas que conquistaram o seu coração. De alguma forma, a Rainha de Paus é uma imagem antiga daquela figura de "supermulher" que tantas mulheres modernas gostariam de ser: a mulher que é capaz de amar e de ser fiel em um relacionamento, mas que também possui a força, a ingenuidade, a criatividade e a energia incansável para reger o seu próprio mundo pelo seu próprio direito, sem precisar de um ombro forte sobre o qual se apoiar nem tampouco do rótulo socialmente aceito de "esposa" para que se torne autoconfiante.

No sentido divinatório, quando a Rainha de Paus aparece em uma abertura de cartas, ela anuncia o momento de o indivíduo começar a desenvolver essas qualidades de aconchego, de constância, de fidelidade e do sustento criativo de uma visão que Penélope tão propriamente simboliza. A Rainha de Paus pode entrar em nossa vida como essa mesma mulher, imaginativa, atraente, aconchegante e fiel. Não é mero acaso se essa pessoa aparecer em nossa esfera de relacionamentos; ao contrário, trata-se de um prenúncio de que o indivíduo está para encontrar esses atributos dentro dele mesmo.

O Rei de Paus

A carta do Rei de Paus retrata um homem elegante com barba e cabelos castanhos encaracolados. Ele veste uma roupa vermelha e uma coroa dourada na cabeça, e está sentado em um trono cujos braços são entalhados em formato de cabeças de carneiros douradas. Em sua mão direita, uma tocha flamejante. Ele está cercado de campos verdes nos quais é possível ver um carneiro parado. Atrás dele, uma linda cidade com colunas e pórticos brancos, coroada por uma acrópole.

Na carta do Rei de Paus, deparamo-nos com a dimensão ativa, dinâmica e senhorial do elemento Fogo, que simboliza a imaginação criativa. Ele é encenado pela figura mitológica do rei Teseu de Atenas, com o qual nos encontramos brevemente nas cartas numeradas do naipe de Paus como um dos companheiros de Jasão em sua busca ao Velocino de Ouro. O rei Teseu personifica o espírito excitante, extrovertido, impulsivo, mal-humorado e tremendamente contagioso da energia do Fogo. Sua mãe Etra era amada tanto pelo deus Poseidon quanto pelo rei Egeu de Atenas. Teseu foi gerado conjuntamente pelos dois, mas desconheceu as suas origens até a idade de 16 anos, quando então saiu em busca de seu lugar como herdeiro de Egeu que resultou em uma jornada cheia de aventuras perigosas. Ele se ofereceu como um dos jovens tributos que eram enviados a Creta para alimentar o terrível Minotauro, convenceu a filha do rei Minos, Ariadne, a ajudá-lo a destruir o monstro e voltou para Atenas em triunfo, passando não somente pela violenta luta com o monstro, mas também por fogo, terremoto, tumultos e mares terríveis.

Ao se tornar rei de Atenas no lugar de Egeu, ele teve muitas ideias de como unir as cidades gregas que viviam em constantes conflitos e, por meio de uma combinação de charme, expressão, proeza física, uma queda para a dramaticidade e uma mente brilhante, ele conseguiu convencer esses senhores independentes e altivos a se juntarem sob um único governo, o qual ele presidiu como Alto Rei.

As aventuras amorosas de Teseu foram variadas e turbulentas como os seus feitos guerreiros. Constante na perseguição de mulheres, ele finalmente escolheu a amazona Hipólita como a sua rainha, uma mulher guerreira que não se contentava em viver na tranquilidade doméstica e insistia em lutar a seu lado em todas as batalhas. Depois da morte dela, Teseu tornou-se um pirata dos mares, voltando periodicamente para Atenas, mas sempre perseguindo um novo sonho, uma nova conquista. Casou-se novamente com Fedra, uma princesa de Creta que, infelizmente, se apaixonou por Hipólito, o filho de Teseu com Hipólita. Esse dilema resultou no suicídio de Fedra e na morte de Hipólito. Depois disso, Teseu perdeu-se totalmente e acabou se jogando ao mar do alto de um rochedo.

Teseu, o Rei de Paus, é a imagem do fogoso entusiasmo que faz do indivíduo, homem ou mulher, um verdadeiro líder. Esse espírito ardente não é simplesmente impulso, intranquilidade e novas ideias — próprios do Cavaleiro de Paus — mas também é nobreza e força. Teseu não é tão somente um homem impetuoso, mas um estrategista e um modelador de eventos mundiais, pela sua visão e a força constante em manifestar essa visão, assim como a calorosa e contagiosa personalidade que consegue convencer os outros de sua validade. Ele não tolera limitações, é impaciente e tem a certeza de estar correto e, inquestionavelmente, é um mau perdedor.

O rei Teseu também é o epítome do homem chauvinista, e esta qualidade não se limita unicamente aos homens, podendo ser encontrada em muitas mulheres. É o espírito exaltado da procura masculina por aventura, conflito e conquista e, ao mesmo tempo, subestimando as dimensões mais "comuns" da vida emocional e material — que parecem inferiores, tediosas e, portanto, não merecem perda de tempo e esforço. O rei Teseu é irresistível por ser mais amplo que a vida, e essa qualidade da natureza humana, que tende a se mistificar, assim como "vender" uma grande visão aos outros, também é irresistível e dinâmica. Os indivíduos que possuem neles mesmos o espírito forte do Rei de Paus não se satisfazem com o fato de ser "meros" mortais. Deve haver uma causa a ser assumida, um dragão a ser destruído, um desafio a ser enfrentado, uma imperfeição no mundo que deve ser corrigida, pois o indivíduo que não está familiarizado com o espírito do Rei de Paus, na melhor das hipóteses, é encantador e fascinante e, na pior das hipóteses, autoritário, irritante, movido pelo poder e perigoso. Mas sem essa qualidade não há o espírito de luta, como também não há a capacidade de melhorar as próprias condições ou as das outras pessoas, pois não existe visão nem confiança para transformar essa visão em realidade.

O Rei de Paus pode ser caloroso e excitante, mas ele é inquestionavelmente egoísta e esse egoísmo essencial, para muitas pessoas, parece ser repreensível e negativo. Mas o rei Teseu é a incorporação do verdadeiro herói, pois a sua convicção é sempre de que a humanidade poderia ser muito melhor do que é.

No sentido divinatório, quando o Rei de Paus aparece em uma abertura de cartas, ele anuncia o momento em que o indivíduo deve encontrar essa dimensão da personalidade que dá início a novas ideias, conseguindo "vendê-las" a outros e gerando uma mudança na própria vida e no ambiente que o cerca. É o espírito de liderança, a crença de que sempre há uma ideia melhor que vale a pena ser promulgada e trabalhada para que seja manifestada. Essa dimensão da vida pode aparecer na forma de um indivíduo impulsivo que entra em nosso círculo de relacionamentos, alguém que contagia os outros com a força de suas ideias. O fato de esse indivíduo entrar em nossa vida não é por acaso, mas é o prenúncio da nossa necessidade de desenvolvimento.

O NAIPE DE ESPADAS

As Cartas Numeradas

A história de Orestes e a maldição da Casa de Atreu é uma história sombria, cheia de conflitos e de mortes, e uma das mais poderosas dos mitos gregos. Em seu ponto focal, está o conflito de dois grandes princípios opostos — o direito de mãe e o direito de pai —, e é esse embate de princípios que faz com que o conto seja adequado para ilustrar o conflitante e turbulento, mas imensamente criativo naipe de Espadas. Esse naipe trata da mente humana em sua forma mais poderosa: a capacidade de criar o bom ou mau destino, de acordo com a força das nossas crenças, convicções e princípios.

A completa lenda da maldição da Casa de Atreu é longa e conturbada, e aqui trataremos principalmente de seu capítulo final. Resumidamente, ela começa com o crime do rei Tântalo da Lídia, que se tornou tão arrogante que, em sua loucura, zombou dos deuses. Ele cortou o seu pequeno filho em pedaços, servindo-os como banquete aos deuses que ele havia convidado para testar a sua sabedoria. Por esse ato de selvageria e de arrogância, os deuses amaldiçoaram a descendência de Tântalo. E, assim, a maldição da Casa de Atreu começa com o uso impróprio da mente: o dom ambivalente do homem, que o eleva acima dos animais, mas também lhe proporciona o poder de destruir desenfreadamente.

Iniciamos a nossa exploração do naipe de Espadas com Orestes, o jovem príncipe de Argos que descobriu que a maldição da família havia sido transferida para ele na forma de uma terrível escolha. Orestes era filho do rei Agamenon e da rainha Clitemnestra de Argos, e a maldição passara pelo pai e pelo avô de Agamenon. Quando a guerra entre gregos e troianos foi declarada (cujo início tivemos um vislumbre na história de Páris, na carta dos Namorados dos Arcanos Maiores), Agamenon era um dos chefes militares eleito para comandar os exércitos que se dirigiram para Troia pelo mar. Com sua arrogância, ele conseguiu ofender a deusa Hécate (Ártemis), zombando dela em um de seus santuários sagrados. Zangada, Hécate provocou uma terrível tempestade que segurou a frota grega no porto. O oráculo da deusa informou Agamenon que deveria oferecer um grande sacrifício a ela antes que a deusa acabasse com a tempestade: ele deveria sacrificar a sua própria filha Ifigênia no altar da deusa em Aulis ou então desistir da potencial glória de liderar os exércitos gregos para Troia. Para Agamenon, a glória era muito mais importante do que uma filha, afinal ele tinha outra, chamada Electra, e filhas eram menos valorizadas do que filhos. Assim, ele enganou a sua esposa Clitemnestra anunciando que Ifigênia deveria casar-se em Aulis. A menina saiu de casa e dirigiu-se para o campo militar de Aulis, onde foi sacrificada. Quando Clitemnestra soube do ocorrido, Agamenon já estava a caminho de Troia.

Os exércitos gregos ganharam a guerra, Troia foi saqueada e Agamenon voltou para casa como herói. Mas, durante a sua ausência, Clitemnestra planejara uma vingança pela morte da filha. Ela aceitou Egisto como amante e os dois planejaram o assassinato de Agamenon. Quando ele chegou em casa cercado de suas tropas vitoriosas, ela o recebeu amavelmente e o conduziu para o banho, onde, juntamente com o amante Egisto, o assassinou. Para prevenir qualquer interferência no plano, Clitemnestra havia enviado o filho Orestes para a longínqua cidade de Fócida, para que ele nada soubesse do crime e não tentasse salvar ou vingar o pai.

Enquanto isso, o deus Apolo apareceu a Orestes na Fócida, contou-lhe o ocorrido e disse que ele deveria vingar a morte de seu pai, pois essa era a obrigação de um filho. Horrorizado, Orestes protestou, porque isso significava cometer um matricídio. Mas Apolo o ameaçou com a loucura e outros terríveis castigos caso ele se recusasse a obedecer ao seu comando. Finalmente, o jovem príncipe aceitou a vontade do deus com um coração pesaroso, pois matar a própria mãe — apesar de correto, de acordo com a lei patriarcal de Apolo — significava ser levado à loucura e à morte pelas Fúrias, as terríveis deusas da vingança que consideravam esse o pior de todos os crimes humanos, de acordo com sua lei matriarcal. Enfim, Orestes aceitou o seu destino e, em segredo, viajou de volta para Argos.

O NAIPE DE ESPADAS

Ao chegar ao palácio, somente o seu cão o reconheceu, mas finalmente também a sua irmã Electra, que desejava ardentemente vingar a morte do pai. Ajudado pela irmã, Orestes primeiro matou Egisto e depois a sua mãe. Dessa forma, ele cumpria a vontade de Apolo. Mas imediatamente as Fúrias apareceram com suas cobras nos cabelos, asas de couro e rostos horríveis, e o enlouqueceram com terríveis pesadelos e visões. Elas o assombraram por toda a Grécia até que, desesperado e exausto, ele procurou refúgio no altar da deusa Atena. Essa deusa teve piedade do jovem príncipe que, sem culpa moral própria, estava preso entre duas forças poderosas e destrutivas. Ela convocou um júri de 12 juízes humanos que pudessem avaliar o caso. O júri ficou dividido em seu juízo — seis foram a favor de Apolo, afirmando que o pai era a pessoa mais importante da vida, e seis foram a favor das Fúrias, afirmando que era a mãe a pessoa mais importante da vida. Foi a própria Atena que decidiu o caso, votando a favor de Orestes no exato momento em que ele expirava. A deusa então fez as pazes com as Fúrias, oferecendo-lhes seu próprio altar e a veneração honrosa, e dessa forma Orestes foi libertado e a antiga maldição da Casa de Atreu foi finalmente desfeita.

O NAIPE DE ESPADAS

O Ás de Espadas

A carta do Ás de Espadas retrata uma linda mulher em armadura completa e elmo de batalha. Ela assume uma postura ameaçadora e segura uma espada de gume duplo. Atrás dela, um cenário de picos nevados e um céu cinzento carregado de nuvens.

No Ás de Espadas, encontramos novamente Atena, a deusa da justiça, com a qual nos deparamos na carta da Justiça dos Arcanos Maiores. Apesar de não ter sido a iniciadora da maldição da Casa de Atreu, assim mesmo é ela quem a soluciona quando Orestes a ela se dirige em seu desespero. A espada de Atena é de gume duplo, pois o poder de corte da mente, com a sua especial capacidade humana de formular ideias e convicções que estimulam as ações e as consequências dessas ações, pode gerar um terrível sofrimento e, ao mesmo tempo, soluções novas e sublimes. Por conseguinte, a espada de Atena corta dos dois lados, pois a apaixonada e até rígida aderência a um princípio é quem dá início ao conflito da lenda; e é o surgimento de um novo e mais viável princípio que resolve e acaba com ele.

Tal como o Ás de Copas e o Ás de Paus, o Ás de Espadas anuncia o surgimento de energia primordial e, aqui, ela é a erupção inicial de uma nova visão do mundo. Mas essa nova percepção ameaça imediatamente a antiga ordem e, dessa forma, o Ás de Espadas, apesar de sua energia ser poderosa e potencialmente criativa, assinala o início de um grande conflito. Muitas vezes, o despertar dos poderes mentais significa um inevitável embate com as crenças que, anteriormente, fizeram parte de nossas vidas.

Uma nova visão das coisas não é tão simples quanto parece, pois nós, seres humanos, somos famosos por provocar guerras e sermos indulgentes com os terríveis atos de selvageria em nome de um novo princípio. É só olhar para a Revolução Francesa de 1789 e para a Revolução Russa de 1917 para entender a força de uma nova ideia, e a frequência com a qual ela provoca um grande conflito antes de ser integrada na vida. Até em um nível mais pessoal, a nova energia primordial da mente que desperta à vida geralmente precipita argumentos, debates e disputas, pois devemos experimentar tudo o que é novo e fazer valer a nossa autonomia mental antes de qualquer possível diálogo ou comprometimento. Portanto, o Ás de Espadas é realmente a carta de duplo gume: o arauto de uma tremenda energia nova pronta para ser transformada em vida, mas também a advertência do advento de um conflito.

No sentido divinatório, o Ás de Espadas sugere que, de um conflito, alguma nova opinião criativa possa surgir. Os poderes mentais estão despertando e isso significa mudança em nossa vida; a antiga ordem é ameaçada e conflitos certamente surgirão. Finalmente, uma solução será possível, mas existe a inevitabilidade de colisão e de disputa antes de essa paz ser visível.

O Dois de Espadas

A carta Dois de Espadas retrata Orestes, de cabelos claros e vestindo uma túnica cinza, parado como se estivesse paralisado, com os olhos cerrados e suas mãos pressionando seus ouvidos. À esquerda, está a sua mãe, a rainha Clitemnestra, com uma coroa dourada em sua cabeça de cabelos louros, trajando um vestido lilás. Ela segura uma espada apontada para o jovem príncipe e, por cima de sua cabeça, olha irada para seu marido, o rei Agamenon, de barba e cabelos louros, vestindo uma túnica azul e uma armadura completa. Ele também segura uma espada apontada para Orestes. Atrás deles, picos nevados e um céu escurecendo com nuvens ameaçadoras.

O Dois de Espadas reflete um estado de paralisia pelo qual forças opostas criam um impasse em que movimento algum é possível sem que uma conflagração seja desencadeada. Aqui, Orestes se encontra entre as forças opostas de sua mãe e de seu pai. Como resposta a esse estado de tensão que exige uma das duas escolhas, ele preferiu ficar alheio, fechando seus olhos e tampando seus ouvidos — e a sua recusa em se conscientizar do iminente conflito é a única ação que ele pode oferecer no momento. Portanto, a situação do Dois de Espadas reflete uma tensão que resultará em uma realidade desagradável a ser enfrentada. Mas o indivíduo não quer alterar o *status quo*. Assim, sem nada enxergar, Orestes consegue não ser infeliz, mas tampouco é feliz, pois não pode se mover ou crescer. Ele também tem medo de provocar um desequilíbrio na situação, pois o presente equilíbrio não é harmônico e uma tempestade ronda atrás dessas figuras tensas.

A polarização que ocorre em todos os Dois dos Arcanos Menores aqui se expressa como um conflito de princípios opostos. E esse equilíbrio não resultou de um diálogo ou de um acordo; trata-se de um intenso e total potencial de destruição. Portanto, quando uma nova visão da vida começa a se agitar em nós com o Ás de Espadas, tendemos a ver somente os extremos e ficamos presos em uma certa paralisia que não permite que nos movamos, seja para a frente, seja para trás. Não podemos simular que nada aconteceu, mas também não podemos ir à frente ou teremos problemas como consequência. O tom emocional do Dois de Espadas é um estado desconfortável de um equilíbrio precariamente calmo, mas que envolve uma grande tensão e ansiedade. É o estado de saber que alguma coisa deve mudar, mas preferimos não enxergar em vez de arriscar o conflito que, finalmente, ocorrerá de qualquer maneira.

No sentido divinatório, o Dois de Espadas implica um estado de tenso equilíbrio no qual há uma recusa em enfrentar alguma situação iminente de conflito. Uma maneira criativa de resolver esse caso pode ser a tentativa em enfrentar o que está à nossa frente, em vez de tentar preservar o *status quo* que, finalmente, será rompido de qualquer forma.

O Três de Espadas

A carta Três de Espadas retrata o rei Agamenon, assassinado em seu banho. O corpo do rei encontra-se na água. À esquerda, Egisto, de barba e cabelos pretos, vestido de cinza-escuro, fere o coração do rei com a espada. Outra espada está enterrada no corpo inerte. À direita, Clitemnestra também fere o coração do marido com uma espada. Além do pórtico de mármore, um céu preto e ameaçador sobre picos nevados.

O Três de Espadas é uma carta pesarosa porque a disputa ou o conflito iminente do Dois de Espadas finalmente irrompeu. Portanto, o tema da integração inicial que liga todos os Três dos Arcanos Menores está nele refletido em uma situação penosa que revela uma separação ou uma desilusão. Mas, mesmo sendo penosa, essa carta, que sem dúvida é difícil, representa uma liberação de energia, pois há movimento em comparação à estagnada e desagradável tensão do Dois de Espadas. O que quer que tenha ocorrido foi necessário, pois algo age para exigir esse conflito antes de ele se desenrolar para o seu eventual final criativo.

Aqui, Clitemnestra realizou a sua vingança, inevitável a partir do momento em que Agamenon optou pela entrega da vida de sua filha a favor de sua própria glória. Alguma coisa iniciada no passado desabrocha no Três de Espadas e o resultado raramente é agradável. Este é o mais profundo significado da maldição do mito grego: não é um feitiço ou um malfadado destino lançado por um deus caprichoso, mas o inevitável resultado das consequências da escolha humana que, mais cedo ou mais tarde, resultará em um conflito ou em uma desilusão no derradeiro acerto de contas.

A triste visão do Três de Espadas traz consigo um sentimento de alívio, pois o veneno finalmente veio à luz e, portanto, uma chance de cura futura torna-se possível. Ressentimentos que ficaram intimamente presos em razão do medo do conflito e de raiva finalmente têm uma forma de extravasarem, mas geralmente por meio da geração seguinte que é forçada a resolver os problemas que a anterior se recusou a enfrentar. Por mais desagradável que seja o Três de Espadas, ele é um passo criativo à frente do Dois de Espadas, e também uma solução final agora é possível.

No sentido divinatório, o Três de Espadas anuncia uma disputa, um conflito ou uma separação. De alguma forma, esse estado penoso é necessário e o indivíduo percebe que não pode seguir adiante recusando-se a enfrentar o conflito. Isso é como a retirada de um abscesso para que o corpo possa reagir e começar a se curar.

O Quatro de Espadas

A carta Quatro de Espadas retrata Orestes no exílio, em Fócida. Ele está sentado tranquilamente no chão contemplando quatro espadas que formam um padrão à sua frente.
Atrás dele, um céu pálido e calmo com pequenas nuvens e um cenário de picos nevados.

O Quatro de Espadas reflete um período calmo de retiro e de contemplação. Aqui podemos ver Orestes em seu exílio. Ele ainda não recebeu a ordem do deus Apolo e, portanto, está em paz, apesar de não lhe ser permitido voltar para casa. O Quatro de Espadas sugere um período de introversão e de reflexão, de recuperação emocional após o surgimento do conflito no Três de Espadas. O veneno foi liberado e agora existe a oportunidade para refletir sobre o que aconteceu. Esse é um período de preparação que precede a tarefa de praticar as mudanças necessárias à vida como resultado do conflito. Há um incremento de força, um controle das reservas internas em uma situação de calma e de introspecção.

Procuramos instintivamente esse lugar de quietude depois de um evento turbulento e penoso em nossas vidas. O indivíduo que passou pela separação ou pelo divórcio, ou até por uma discussão exacerbada, frequentemente precisa de um tempo sozinho para analisar o padrão do que aconteceu; isso também ocorre com a pessoa sobrecarregada ou aquela que foi demitida de seu trabalho, ou se separou de um amigo ou de um relacionamento amoroso. Frequentemente não reconhecemos o valor desse período de quietude e nos precipitamos e procuramos cercar-nos de pessoas que farão com que nos sintamos melhor e que nos ajudem a esquecer o que aconteceu. Mas o exílio de Orestes é imposto e, de certa maneira, somos forçados à introversão pela descoberta de que essa precipitação nervosa não cura absolutamente nada. Muitas vezes isso piora a nossa situação, até reconhecermos a necessidade do silêncio e da solidão antes de voltarmos à vida novamente. Essa reflexão pode revelar o significado que fundamenta a separação ou o conflito, porque qualquer dificuldade refletida pelo naipe de Espadas inevitavelmente apontará para algum estágio do passado no qual um novo conceito da vida começou a surgir e está desequilibrando todos os nossos padrões preexistentes da vida.

No sentido divinatório, o Quatro de Espadas anuncia um período de recuperação silenciosa e de introversão, no qual o indivíduo pode armazenar energia preparando-se para maiores esforços. Quando o Quatro de Espadas aparece em uma abertura de cartas, talvez seja melhor aceitar a solidão ou o retiro e não procurar preencher o tempo com atividades, pois alguma quietude é necessária para controlar os pensamentos e organizar a própria vida.

O Cinco de Espadas

A carta Cinco de Espadas retrata Orestes sentado no chão diante do deus Apolo, que apareceu para lhe contar de seu destino e de sua obrigação em vingar a morte de seu pai. Apolo encontra-se à direita e aponta severamente para as cinco espadas que ele segura em sua mão direita. Ao longe, nuvens negras rondam os picos nevados.

O Cinco de Espadas representa a aceitação das limitações, das fronteiras e das restrições do destino. Aqui, Orestes deve chegar a termo com a sua deteriorada herança familiar e aceitar a tarefa que lhe foi imposta. Não é o caso de presumir que o seu destino seja injusto; ele deve enfrentar o que está à sua frente sem se queixar, chorar ou recusar, pois é pela aceitação de seu próprio destino que ele deve progredir e merecer o seu direito ao crescimento e ao seu eventual reinado. Também é importante que Orestes aceite a lei do deus, não simplesmente por medo — apesar de as ameaças de Apolo serem apavorantes —, mas porque ele mesmo reconhece essa necessidade. Ele é homem e, por conseguinte, a lei patriarcal de Apolo é também a sua lei. Caso ele fosse mulher, o seu destino teria sido bem diferente. Mas aqui, ao considerar as suas opções, Orestes deve, no final, oferecer a sua lealdade ao princípio masculino enraizado em sua identidade sexual, independentemente das consequências.

Muitas vezes, as limitações e sua necessária aceitação exigem que desconsideremos o falso orgulho e o medo. Às vezes, o indivíduo ultrapassa os limites procurando alcançar algo além de suas possibilidades. O reconhecimento dos limites exige consciência e uma mente imparcial. O indivíduo sabe o que ele é e, portanto, o que ele pode e deve fazer; essa é a aceitação da lei interior. Apesar de ser angustiante ou deprimente e aparentemente depreciável, no entanto, é um estágio necessário, caso o indivíduo queira tornar efetivos os princípios nos quais acredita. Sem essa aceitação do próprio destino, nada pode ser realizado.

No sentido divinatório, o Cinco de Espadas prevê a necessidade de enfrentar os nossos próprios limites, reconhecendo que a vida precisa ser vivida dentro das limitações de nossa capacidade. Frequentemente há uma situação em que o indivíduo assumiu muitas responsabilidades e deve desistir do orgulho e retirar-se, enfrentando honestamente o que é possível antes de seguir adiante.

O Seis de Espadas

A carta Seis de Espadas retrata Orestes em pé, em uma postura digna, dentro de um pequeno barco. Ele está envolto de um manto roxo, olhando para a cidade de Argos, que pode ser vista a distância. Seis espadas estão fincadas no fundo do barco. Em primeiro plano, águas revoltas e nuvens pretas no céu. Mas, à medida que Orestes se aproxima da cidade, as águas estão mais calmas e, sobre a cidade, o céu está mais claro.

O Seis de Espadas retrata uma situação de afastamento de sentimentos turbulentos e difíceis para um estado mais calmo e sereno. Pela aceitação dos próprios limites, descrito no Cinco de Espadas, alguma consciência e paz foram adquiridas e agora se apresenta à frente um caminho mais calmo, mas ainda melancólico.

O Seis de Espadas não é uma carta "feliz", mas sugere uma harmonia que nasce do reconhecimento dos próprios limites e tarefas. Dessa maneira, apesar de sua difícil missão, o jovem príncipe está em paz consigo mesmo e deixa para trás o estado ansioso, penoso e carregado sugerido pelas águas turbulentas atrás dele.

O estado sereno sugerido pelo Seis de Espadas não é tão agradável quanto a nostalgia do Seis de Copas, pois ele não surge de um coração tranquilo, mas da mente serena. Aqui, o mais importante é a percepção interna e a compreensão, pois a serenidade e a passagem calma do Seis de Espadas dependem de enxergarmos e compreendermos a maneira pela qual o padrão de nossa vida funciona. É essa necessidade de enxergar e de compreender que leva muitas pessoas a estudar assuntos como o Tarô e a Astrologia, assim como a Psicologia e as funções da mente humana em épocas de dificuldade, pois a compreensão faz uma grande diferença quando estamos assolados pelos problemas; enxergar a maneira como arquitetamos os nossos destinos pode, muitas vezes, liberar a ansiedade e promover uma calma aceitação que nos permite seguir adiante.

Os dons que esses simbólicos mapas oferecem por meio do Tarô ou de horóscopos são de grande valor, apesar de não escolherem por nós nem mesmo mudar uma situação externa de negativa para positiva. Mas saber por que estamos em um determinado caminho, como ali chegamos e o que isso pode significar, às vezes, pode fazer milagres. E, portanto, o mar apresenta essa passagem calma e serena.

No sentido divinatório, o Seis de Espadas sugere um período em que a capacidade da mente para compreender ajuda a transformar uma época difícil que provoca ansiedade em uma passagem mais serena. A percepção interna acalma as nuvens tempestuosas e o indivíduo pode manter a sua dignidade e o autorrespeito.

O Sete de Espadas

A carta Sete de Espadas retrata Orestes, oculto em seu manto, dirigindo-se sorrateiramente para o palácio de Argos. Em seus braços, ele carrega sete espadas. A rua é escura e a entrada do palácio é negra e sinistra. Ao longe, além do palácio, uma fina lua crescente brilha no céu escuro sobre picos nevados.

O Sete de Espadas representa a aplicação da energia de maneira cautelosa, astuta e diplomática para conseguir o objetivo desejado. Aqui a mensagem é "cérebro" em vez de "força", e a vida pode exigir que o indivíduo desenvolva malícia, sagacidade e esperteza. O sentimento do Sete de Espadas é ambivalente, pois não podemos ter certeza da retidão ou da integridade moral do objetivo. E certamente, para Orestes, a sua volta sorrateira para Argos é motivada pela violência, pois, obedecendo à vontade do radiante deus do Sol, ele está por cometer um matricídio.

Existe alguma coisa um tanto questionável a respeito do Sete de Espadas, mesmo que o objetivo seja aparentemente justificado, e isso levanta o problema da amoralidade essencial da mente. Não contaminado pelos valores dos sentimentos, o intelecto pode ser frio e manipulador, e os fins justificam os meios, mesmo quando se trata de um objetivo digno. Mas essa carta sugere que a vida pode exigir que desenvolvamos tais atributos, mesmo que a nossa natureza seja contrária a essa óbvia astúcia. Para poder alcançar um objetivo são necessários tato, charme e até subterfúgio, que nos deixa desconfortáveis, caso sejamos éticos em nosso tratamento com as outras pessoas.

Mas Orestes não pode entrar em Argos com toda a pompa e glória, pois Clitemnestra e seu amante o aprisionariam e provavelmente o matariam, o que o impediria de cumprir a vontade do deus. Portanto, ele deve controlar a sua personalidade e isso parece ser um requisito do estágio da jornada refletida pelo Sete de Espadas. A astúcia é um dos atributos da mente e, algumas vezes, deve ser usada na vida. Ela é necessária em qualquer troca de opiniões, do contrário estaremos simplesmente intimidando e reprimindo-as, e nada realizando. Os políticos conhecem bem essa qualidade, assim como os sacerdotes e os advogados, pois tato é a versão mais agradável da astúcia e ideias devem ser apresentadas de forma tática para ser transmitidas tanto positiva quanto negativamente.

No sentido divinatório, o Sete de Espadas anuncia um período no qual é necessário usar astúcia, tato, diplomacia e espertza, em vez de usar a força e a imposição para alcançar os nossos objetivos. Isso pode provocar um sentimento desconfortável de falsidade, mas que pode ser exigido pela própria vida.

O Oito de Espadas

A carta Oito de Espadas retrata Orestes em uma postura de medo, com suas mãos levantadas tentando afastar o seu destino. Ele está cercado por um anel de oito espadas fincadas no chão.
À sua esquerda, Apolo olha para ele de modo severo e zangado.
À sua direita, as três Fúrias vestidas de preto, com rostos brancos e feios, e asas de morcego. Ao longe, nuvens ameaçadoras sobre picos nevados.

O Oito de Espadas retrata uma situação de servidão em função do medo. Diferentemente da paralisia apresentada pela carta Dois de Espadas, essa servidão envolve um total conhecimento da situação e as prováveis consequências de qualquer escolha. Aqui Orestes sabe muito bem o que acontecerá se assassinar a sua mãe ou se ele se recusar a fazê-lo, pois, qualquer que seja a sua escolha, sairá perdendo. Assim, ele fica paralisado tentando afastar de si o momento da escolha. Apesar de as escolhas não serem geralmente tão sutis quanto as de Orestes, entretanto o Oito de Espadas reflete uma situação de indecisão paralisante. Parte do desconforto surge da percepção do indivíduo quanto à exata maneira de como chegou a essa situação, mas já é tarde para remorsos ou para retroceder. Diferentemente também da cegueira da carta Dois de Espadas, o Oito de Espadas retrata a consciência dolorosa de nossa parte na criação de toda a atual confusão. Esse é o momento anterior a difícil escolha, exacerbado pela realização desagradável de que nós mesmos a provocamos.

Existem muitas situações típicas na vida, nas quais surgem a servidão e a paralisia do Oito de Espadas. Uma das situações mais características é o problema do indivíduo que esteve manipulando duas pessoas uma contra a outra — uma esposa e um amante, um marido e um pai, dois amigos —, tentando adiar a decisão de uma escolha ou de um compromisso. A tentativa de manter oculto o fato um do outro pode fazer com que a tomada de decisão possa ser mantida em aguardo durante um certo tempo, mas cedo ou tarde haverá uma confrontação e consequentemente o momento de choque, quando se descobre que esse subterfúgio somente piorou a situação. Desse modo, o Oito de Espadas surge naturalmente do Sete de Espadas, como se a astúcia e a sutileza, apesar de utilizadas por bons motivos e necessárias no momento, tivessem criado a própria armadilha. Então, devemos aceitar a responsabilidade por todo o ocorrido, procurar compreender o que realmente desejamos e agir imediata e definitivamente. Dessa maneira, uma solução é possível.

No sentido divinatório, o Oito de Espadas anuncia uma situação pela qual o indivíduo é impossibilitado de agir por causa do medo das consequências. Uma tomada de decisão é necessária, mas qualquer que seja a escolha, provocará problemas. Existe a conscientização de que o dilema foi causado pelo próprio indivíduo, pois houve um longo passado de recusa, duplicidade, cegueira e medo da confrontação, muitas vezes para "evitar ferir" alguém, que sempre está presente no impasse. É importante enfrentar honestamente o nosso próprio envolvimento no problema.

O Nove de Espadas

A carta Nove de Espadas retrata Orestes em pé, com suas mãos cobrindo seus ouvidos. Atrás dele, as três Fúrias pairam ameaçadoramente em um acúmulo de nuvens escuras. Cada uma segura três espadas e todas elas estão apontadas para o jovem príncipe. Atrás delas, um céu escuro sobre os picos das montanhas.

O Nove de Espadas reflete uma experiência de grande medo e ansiedade. Essa é a carta do pesadelo, a fantasia do iminente desastre que não se manifesta necessariamente como um fato concreto, mas é apavorante e doloroso graças ao poder da imaginação.

Aqui Orestes cumpriu a sua tarefa e matou a sua mãe, sendo agora perseguido pelas Fúrias que, por sua própria natureza, não são corpóreas; elas não podem atingi-lo fisicamente ou matá-lo. Elas o atormentam por meio do sentimento de culpa — seus medos e fantasias de destruição. Em termos psicológicos, o Nove de Espadas representa a ansiedade, pois reflete um estado no qual o indivíduo aguarda um terrível desfecho, apesar de não haver qualquer indicação real de que ele se concretizará no futuro.

Entretanto, os nossos medos podem variar de acordo com a natureza dos próprios indivíduos. Vez por outra, a maioria das pessoas é afetada por esse pesadelo de ansiedade a respeito de um terrível futuro. Para algumas é o medo de que a pessoa amada nos rejeite ou morra, ou simplesmente nos abandone. Para outras é o medo de uma catástrofe financeira ou o fracasso de um projeto criativo. Esses medos sobre o futuro atormentam muitas pessoas, assim como o terror da solidão, das doenças e da idade avançada. O problema dessas visões apavorantes do futuro é que, caso sejamos fortemente afetados e cheguemos a acreditar nelas, acabamos por agir de acordo, tornando-nos desconfiados e fechados para a vida; isso fará com que destruamos qualquer possibilidade de uma felicidade futura, muitas vezes, criando o destino que tanto nos amedronta, por meio de nossas próprias suspeitas e desconfiança.

O Nove de Espadas é uma carta extremamente psicológica, pois essas fantasias mórbidas de um futuro malfadado surgem das culpas do passado. Esse é o caso de Orestes, para quem as Fúrias são a personificação da culpa que o corrói. A culpa surge da decisão assumida pelo Oito de Espadas que, por sua vez, surge do dilema criado pelo próprio indivíduo por suas escolhas feitas no passado. Somente a percepção simbolizada por Atena pode dissipar a fantasia atormentadora das Fúrias.

No sentido divinatório, o Nove de Espadas anuncia um período de grande ansiedade com respeito a um futuro desastroso. É importante examinar a origem da culpa criada no passado que provoca esses medos, em vez de sujeitar-se a eles em detrimento do futuro.

O Dez de Espadas

A carta Dez de Espadas retrata a deusa Atena segurando uma espada ereta em sua mão direita. À sua direita, as três Fúrias contêm suas ameaças em um círculo de nove espadas. À sua esquerda, Orestes inconsciente está deitado no chão. O céu escuro sobre as montanhas gradativamente dá lugar ao Sol nascente, apenas visível no horizonte.

O Dez de Espadas simboliza um encerramento aqui representado pela dissipação de uma maldição antiga realizada pelo juízo e pela imparcialidade da deusa da Justiça. Para Orestes, esperança alguma é visível; ele está quase morto de desespero e de exaustão, e não pode ver que a liberdade finalmente bate à sua porta.

Para o indivíduo que finalmente chegou ao ponto em que não há mais esperança alguma e um futuro que somente promete decepção e desilusão, a experiência do Dez de Espadas parece mais uma morte. É um período obscuro, quando podemos ver as coisas como realmente são e reconhecemos que não há mais para onde ir. Entretanto, apesar de Orestes estar muito afundado em seu desespero para poder testemunhá-lo, o Sol paulatinamente surge no horizonte e um novo começo é anunciado em meio à escuridão de sua derrota. A percepção e a clareza de Atena desarmaram as Fúrias e, na história, isso ocorre por meio da assistência de um júri humano. Isso sugere que a redenção dos nossos piores e mais insolúveis problemas não acontece por meio de um raio enviado do céu nem tampouco por um golpe da sorte, mas pela atenciosa deliberação da mente humana, com o seu magnífico dom da reflexão imparcial.

Uma maldição familiar como a de Orestes é a imagem dos conflitos internos passados de uma geração para outra, que os nossos avós e pais não conseguiram enfrentar honestamente e pelos quais os filhos devem inevitavelmente assumir e sofrer até que o discernimento seja finalmente conseguido.

Portanto, o Dez de Espadas, apesar de não apresentar um final feliz de conto de fadas, representa a própria e inevitável integração de um processo que começou com o nascimento de novas ideias e de percepções da vida no Ás de Espadas. Muitas vezes um nascimento significa que algum problema enraizado e antigo foi forçado a emergir para a superfície e deverá ser finalmente eliminado; essas separações são penosas e difíceis. Mas, uma vez que a crise foi superada, o Sol poderá surgir novamente, e nós seguiremos adiante não somente decepcionados e desiludidos, mas livres de um câncer profundo cujas raízes se encontravam além do nosso longínquo passado que o nosso sofrimento libertou e redimiu.

No sentido divinatório, o Dez de Espadas anuncia o fim de uma situação difícil. Esse final pode ser doloroso, mas finalmente a situação é enfrentada honestamente e um novo futuro, menos conflituoso, pode ser iniciado.

As Cartas da Corte

O Pajem de Espadas

A carta do Pajem de Espadas retrata um jovem vestindo uma túnica azul, ajoelhado entre as nuvens de um céu turbulento. Seus cabelos claros flutuam no vento que emana do sopro de sua boca. Em sua mão, uma espada prateada. Abaixo dele, um cinzento cenário montanhoso.

Na carta do Pajem de Espadas, deparamo-nos com os inícios primitivos e disformes do elemento Ar: os primeiros impulsos da atividade mental independente e da formulação. Isso é encenado pela figura mitológica de Zéfiro, o jovem governante do Vento do Oeste. O império dos quatro ventos surgiu da união de Eos, deusa da aurora, com Astreu, a personificação de um céu noturno claro e estrelado. Noto era o Vento do Sul e Euro era o Vento do Leste; mas os filhos mais poderosos dessa união da aurora com o céu noturno eram Bóreas, o Vento do Norte, e Zéfiro. Juntos, esses dois irmãos eram venerados como as forças selvagens e destrutivas da natureza; imaturos e desenfreados, eles se divertiam em provocar tempestades e em agitar as ondas do mar.

De natureza elemental, Zéfiro vivia com seu irmão Bóreas nas cavernas montanhosas da Trácia e montava as nuvens para soprar o seu ameaçador Vento do Oeste. O jovem era de natureza despeitosa e maliciosa. De sua união com Podarge, uma das horríveis Hárpias, nasceram os dois cavalos selvagens que conduziram a carruagem do herói Aquiles durante a Guerra de Troia.

Mais tarde o temperamento de Zéfiro abranda-se, mas o do irmão continua o mesmo. Isso porque o Vento do Oeste se casa com a linda e gentil Íris, a mensageira feminina dos deuses e guardiã do arco-íris, com a qual nos deparamos na carta da Temperança dos Arcanos Maiores. Como consequência dessa união, Zéfiro finalmente se transforma em um vento suave que gentilmente ventilava e abençoava as regiões do Eliseu, onde as almas dos heróis residiam em eterna tranquilidade.

Zéfiro, o Pajem de Espadas, é a imagem dos primeiros impulsos da vida mental independente que deve emergir em sua forma infantil antes de podermos formular nossas próprias ideias e conceitos e conseguir expressá-los. Por ser jovem e primitivo, o Pajem de Espadas é briguento e, como qualquer criança tem tendência a fazer comentários cruéis, à zombaria, à grosseria e à maldade em geral — uma espécie de exercício jocoso dos poderes do pensamento e do discurso antes que qualquer valor de sentimento ou código ético intervenha para formar e orientar a atividade mental. Esses impulsos iniciais do pensamento original e independente podem surgir como uma inclinação para brigas insignificantes e como uma curiosidade invasiva que não respeita a privacidade alheia.

É justamente nesse espírito que Zéfiro, governante do Vento do Oeste, se diverte provocando tempestades e agitando os mares, não porque seja maldoso, mas porque é curioso para ver o que acontece. O discurso das crianças é notoriamente cruel, mas essa crueldade somente atinge aqueles que têm alguma coisa para esconder ou se o orgulho ou a autoimagem não puder aguentar os golpes.

Na realidade, a bisbilhotice é típica do Pajem de Espadas, pois é o equivalente adulto desse espírito infantil que brinca com essa força maliciosa primitiva. Os comentários maldosos podem ferir e até, com o tempo, podem ser exagerados e atingir ouvidos intencionados; podem tornar-se poderosamente destrutivos para uma reputação ou para um relacionamento. Diz o fofoqueiro: "Você já ouviu a última?...", e logo o mexerico é deturpado, enfeitado, sendo objeto de inveja e de malícia, e finalmente se transforma em uma tempestade que vai além de qualquer reconhecimento daquela infantil brisa soprada por Zéfiro.

Todos nós temos essa tendência para a bisbilhotice e ela surge de uma espécie de curiosidade primitiva a respeito das outras pessoas. O mexerico é um grande nivelador e ninguém é imune a ele — muito menos a pessoa que acredita que sua vida seja isenta de culpas, pois, caso Zéfiro não possa descobrir alguma coisa, ele a inventará. Portanto, o Pajem de Espadas é uma carta altamente ambivalente, porque sua energia infantil e primitiva marca o início do verdadeiro pensamento independente.

Ao mesmo tempo, Zéfiro pode ser caprichoso e malicioso, e as brigas insignificantes que lhe são próprias se tornam tempestades desagradáveis. A energia de Zéfiro deve ser alimentada e orientada sem ser esmagada, pois Zéfiro representa a nossa curiosidade infantil a respeito da vida, do mundo e das pessoas.

No sentido divinatório, quando o Pajem de Espadas aparece em uma abertura de cartas, ele anuncia que chegou o momento do nosso encontro com aquela curiosidade infantil e com a bisbilhotice maliciosa próprias do Pajem de Espadas, marcando o início do uso dos poderes mentais. É até possível que sejamos, nós mesmos, vítimas da bisbilhotice de outras pessoas ou pode haver uma tendência a provocarmos briguinhas insignificantes e sermos irritantes e difíceis. No entanto essas coisas refletem o surgimento de novas ideias e do verdadeiro pensamento independente — isso, geralmente, em uma pessoa acostumada a aceitar cegamente os pontos de vista e opiniões dos outros.

O Cavaleiro de Espadas

A carta do Cavaleiro de Espadas retrata um par de jovens, gêmeos idênticos, vestidos em túnicas cinza e armadura e elmos prateados em suas cabeças louras. Cada um segura uma espada de prata e os dois estão montados em um único cavalo cinza. O cavalo está agitado, suas patas dianteiras estão estendidas como se fosse levantar voo e os gêmeos seguram suas espadas em riste, em posição de ataque. Acima deles, um céu cinza e turbulento, com nuvens esvoaçantes.

Na carta do Cavaleiro de Espadas, deparamo-nos com a dimensão flexível, volátil e mutável do elemento Ar que está em constante movimento. Essa turbulenta atividade no reino da mente é encenada pelas figuras mitológicas dos briguentos Dióscuros, — os Gêmeos Guerreiros, Cástor e Pólux —, cuja mãe, Leda, rainha de Esparta, foi perseguida pelo apaixonado Zeus, rei dos deuses. Quando ela rejeitou suas propostas, Zeus transformou-se em cisne e a violentou. Já grávida de seu marido, o rei Tíndaro, Leda produziu dois ovos de seu amante-cisne. De um deles, saíram duas crianças mortais, Cástor e sua irmã Clitemnestra, a qual encontramos na história de Orestes nas Cartas Numeradas do naipe de Espadas. Do outro ovo, saíram as duas crianças divinas de Zeus, Pólux e Helena, que vimos na carta da Rainha de Copas dos Arcanos Menores. E, assim, os Dióscuros eram irmãos gêmeos, mas Cástor era mortal e Pólux, divino.

Os Dióscuros, que nunca se separavam para aventura alguma, tornaram-se o orgulho de Esparta. Cástor era famoso como soldado e domador de cavalos e Pólux, como pugilista. Os dois possuíam um espírito combativo e eram conhecidos pela tendência a provocar brigas. Eles frequentemente brigavam com outros dois gêmeos, Idas e Linceu. Idas matou Cástor, o gêmeo mortal, e Pólux matou Linceu com a sua lança. Interferindo a favor do filho, Zeus matou Idas com um raio. Pólux ficou tão desesperado e triste pela morte do irmão que se dirigiu a Zeus para pedir-lhe que não sobrevivesse à morte de Cástor. Sensibilizado, Zeus permitiu que os dois passassem seus dias alternadamente no reino divino do Olimpo e nas sombras escuras do reino de Hades, colocando suas figuras entre as estrelas como os Gêmeos.

Os Dióscuros são imagens de uma energia brusca e mutável, a capacidade da mente humana em ser repentinamente inspirada ou tomada por uma nova ideia que joga a velha ordem para o caos, deixando mudanças em seu rastro. O aspecto dual dos gêmeos divinos sugere uma dualidade ou uma duplicidade nesse reino da mente, porque muitas vezes essas novas ideias inesperadas que surgem em nossas vidas monótonas podem promover o conflito ou ser, elas mesmas, ambivalentes e cheias de conflitos. O espírito de luta e a insensibilidade dos Dióscuros também nos dizem algo a respeito da qualidade da energia mental descrita pelo Cavaleiro de Espadas. Ela não leva em consideração o sentimento humano e, frequentemente, é a causa do rompimento de relacionamentos e separações, porque o indivíduo é subitamente possuído por uma ideia que exige que ele fira outra pessoa. Portanto, existe uma atitude básica inerente ao Cavaleiro de Espadas que não é diferente da figura de Don Juan da lenda romântica. Essa figura é intensamente atraente por causa do seu brilho, mas é insensível; ele não tem qualquer sentimento real pela continuidade do passado e pela integridade do relacionamento humano, e não está preparado para fazer sacrifícios pessoais e comprometer a fria e grandiosa visão do momento.

Na vida cotidiana, é possível ver a energia dos Dióscuros funcionando quando um indivíduo abandona suas responsabilidades e seus relacionamentos para perseguir alguma nova e juvenil aventura. Na Psicologia, esse impulso é chamado de *puer eternum*, juventude eterna, e trata-se de um impulso mais dominante em certas pessoas do que em outras. O espírito do Cavaleiro de Espadas não suporta ficar velho ou estagnar em uma situação de servidão. Uma intimidade prolongada o incomoda e ele precisa de um constante estímulo mental para evitar a monotonia. Ele possui aquela peculiar dupla face de ser destrutivo aos relacionamentos sentimentais e, ao mesmo tempo, impulsiona criativamente o indivíduo para fora de sua monotonia e servidão para novas fases de crescimento que, frequentemente, o levam a ferir um ou dois corações. Dessa forma, ele tem uma função tanto negativa quanto positiva, aqui refletida na imagem dos Gêmeos. Para os Dióscuros, conflito e movimento são naturais, e o indivíduo não pode passar muito tempo sentindo-se culpado quanto a quem ele possa ferir quando a mente bruscamente vira e segue adiante em uma nova direção. A qualidade instável dos Gêmeos está refletida na carta pela agitação do cavalo que está quase suspenso no ar e que não consegue ficar parado, levando os gêmeos adiante para novas aventuras.

No sentido divinatório, quando o Cavaleiro de Espadas aparece em uma abertura de cartas, ele anuncia que chegou o momento de o indivíduo estar preparado para mudanças repentinas que quebram os padrões normais da vida. Essas mudanças podem ser provocadas por um indivíduo que aparece na vida de uma pessoa com as qualidades mutáveis, fascinantes e conflitantes dos Dióscuros ou pode assumir a forma de uma ideia nova ou uma visão que emana do interior do indivíduo, provocando uma desordem temporária na vida cotidiana. Por conseguinte, quer o Cavaleiro de Espadas apareça interior ou externamente, o seu talento é a habilidade de acompanhar as mudanças, e a turbulência que traz consigo pode, derradeiramente, levar a uma visão mais ampla da vida.

A Rainha de Espadas

A carta da Rainha de Espadas retrata uma linda, mas fria e severa mulher, vestindo uma longa túnica azul, sóbria e simples. Ela porta uma coroa dourada sobre os seus cabelos louros e está sentada em um trono prateado. Em uma das mãos, ela segura uma espada de prata e, na outra, uma jarra da qual escorre água para o chão. Atrás dela, um cenário de picos nevados pode ser visto sob um céu calmo e azul.

Na carta da Rainha de Espadas, deparamo-nos com a dimensão estável, reflexiva e contida do elemento Ar. Isso é encenado pela figura mitológica de Atalanta, a Caçadora, frustrada no amor em virtude de seus ideais demasiadamente altos. Atalanta, cujo nome significa "Indômita", era filha do rei Jásio que esperava ansiosamente por um herdeiro. O nascimento de Atalanta o decepcionou tão cruelmente que ele a abandonou em uma colina perto de Calidonte. Mas a criança foi adotada e amamentada por uma ursa que a deusa da Lua, Ártemis-Hécate, enviou em sua ajuda. Atalanta cresceu em uma comunidade de caçadores que a encontraram e a educaram. Ela zelava por sua virgindade e sempre portava suas armas. Chegando à idade adulta, ela ainda não se reconciliara com o pai, que se recusava a reconhecê-la.

Atalanta realizou muitos feitos guerreiros famosos, inclusive a famosa caça ao javali calidoniana, durante a qual ela lutou ao lado dos homens e desferiu o primeiro golpe ao javali. Apesar de o jovem herói Meleagro, filho do deus da guerra Ares e o melhor arremessador de lanças da Grécia, apaixonar-se por ela, Atalanta recusou-se em ceder ao destino comum de uma mulher. Finalmente, orgulhoso pelo feito, seu pai reconheceu-a e prometeu encontrar-lhe um marido nobre. Mas ela protestou dizendo: "Pai, concordo, mas com uma condição. Qualquer pretendente à minha mão deve primeiro derrotar-me em uma corrida a pé. Se não conseguir, deixe-me matá-lo". Como consequência, muitos príncipes infelizes perderam suas vidas, porque ela era a mortal mais veloz da Terra. Apesar do perigo e querendo competir pela mão de Atalanta, um jovem chamado Melânio invocou a ajuda de Afrodite. A deusa lhe deu três maçãs douradas dizendo-lhe que, para atrasá-la durante a corrida, deixasse cair as maçãs uma de cada vez. O estratagema teve sucesso e o casamento se realizou. Mas ele estava malfadado, pois Melânio persuadiu Atalanta a se deitar com ele no recinto consagrado a Zeus que, irado pelo sacrilégio, os transformou em leões. Os gregos acreditavam que os leões não faziam sexo entre si, mas com leopardos e, dessa maneira, o casal estava condenado a nunca mais provar das delícias do amor.

Atalanta, a Rainha de Espadas, é a imagem do isolamento e da intocabilidade da mente que pode manter um ideal de perfeição a ponto de excluir e desvalorizar todos os aspectos sensuais. A Rainha de Espadas é uma figura fria porque o seu perfeccionismo e a sua identificação com o mundo masculino da mente e do espírito a tornam própria para a amizade, mas não para o amor erótico. Portanto, a Rainha de Espadas é uma figura régia e solene, mas também solitária, e essa solidão, muitas vezes acompanhada de orgulho e integridade, não surge tanto das circunstâncias, mas da relutância em permitir que as coisas mundanas demais prejudiquem o ideal da perfeição. O idealismo da Rainha de Espadas é sublime e nobre, e há uma lealdade que pode resistir a muitas das provas mais difíceis da vida. Entretanto, trata-se de um idealismo que não permite qualquer fracasso humano.

O mito de Atalanta pode ser encontrado em muitos dos nossos populares contos de fadas, como na imagem da princesa fria que exige que os seus pretendentes tentem realizar tarefas impossíveis para poder conquistá-la. Essa exigência pode ser sutil e até inconsciente, e fazer com que o amor seja excluído da vida do indivíduo. Por outro lado, ela pode ser uma exigência criativa, porque incentiva as pessoas a serem melhores do que realmente são. Entretanto, é uma visão fria e solitária, pois pretendente algum — ou nós mesmos — pode derradeiramente passar pelas provas impossíveis, senão nos contos de fadas. E esses contos que se identificam com Atalanta, na vida real, tendem a esperar a vida inteira enquanto a vida mortal transcorre e a água do sentimento escorre desperdiçada da jarra para o chão do tempo e do espaço. Portanto, a Rainha de Espadas, que possui as grandes virtudes da lealdade e da integridade, assim como a capacidade de suportar a tristeza sem esmorecer, é a imagem da frustração e do isolamento emocionais, por ela ser intocável.

Assim como o Rei de Copas é uma figura ambivalente porque o papel masculino da realeza está assentado de maneira desconfortável ao lado do essencialmente feminino elemento Água, assim também é a Rainha de Espadas, pois o papel feminino da realeza está, da mesma maneira, ao lado do essencialmente masculino elemento Ar. O mito de Atalanta nos transmite algo profundo e sutil a respeito da psicologia da Rainha de Espadas, pois seu pai deseja um herdeiro e recusa-se a aceitar o seu valor como mulher; e foi somente depois de ela provar o seu valor por meio de feitos de armas próprios de um homem que ele a reconheceu. O esforço para a perfeição expresso na imagem da Rainha de Espadas é, de certa forma, o esforço para sermos reconhecidos por um deus-pai que sempre está além do nosso alcance, pois não somos bons o suficiente simplesmente porque somos feitos de carne. Assim, a Rainha de Espadas aceitará nada menos que a perfeição, porque ela mesma devia ser supostamente perfeita e falhou.

No sentido divinatório, quando a Rainha de Espadas aparece em uma abertura de cartas, ela anuncia que chegou o momento de o indivíduo encontrar a sua dimensão presa indomitamente a uma fé irremovível em altos ideais. Esses ideais podem ser nobres e dignos e podem ajudar a melhorar a consciência e a qualidade de vida. Mas também podem rejeitar a vida e representar uma defesa contra o medo do ser humano e, portanto, vulnerável à dor. O indivíduo precisa ver onde ele poderia criar problemas em sua exigente busca da perfeição humana nas pessoas ou nele mesmo. Se a Rainha de Espadas entrar em nossa vida como uma mulher forte, idealista e solitária, ela pode ser considerada um catalisador por meio do qual podemos descobrir esse aspecto em nós mesmos.

O Rei de Espadas

A carta do Rei de Espadas retrata um homem elegante, com feições bem definidas, barba e cabelos louros, vestindo uma túnica cinza e portando uma coroa dourada. Ele está sentado em um trono de prata em cujos braços está entalhado o emblema da harmonia perfeita, o triângulo equilátero. Em uma das mãos, ele segura uma espada e, na outra, uma balança. Atrás dele, um cenário de picos de montanhas embaixo de um céu com nuvens cinza.

Na carta do Rei de Espadas, deparamo-nos com a dimensão dinâmica, iniciadora e organizadora do elemento Ar. Isso é encenado pela figura mitológica do herói Ulisses, chamado "o Astuto" e com o qual nos encontramos brevemente na carta da Rainha de Paus dos

Arcanos Menores, como marido de Penélope. Ulisses, rei de Ítaca, nasceu pela união secreta de Sísifo com a filha do ladrão Autólicos, do qual herdou parte de sua astúcia e inteligência. Ao ser deflagrada a Guerra de Troia, Ulisses juntou-se aos outros príncipes gregos no assalto a cidade. Ele provou ser, vez e outra, um conselheiro perspicaz e um bom estrategista. Foi Ulisses quem primeiro concebeu a ideia do Cavalo de Troia, aquele cavalo gigante de madeira e oco, enviado para a cidade como presente da deusa Atena, escondendo dentro de seu bojo um destacamento de soldados gregos. Quando finalmente Troia foi saqueada, Ulisses sempre mostrou ser magnânimo com os prisioneiros, prometendo que seriam tratados com justiça, caso se rendessem pacificamente.

Apesar de seus sucessos durante essa guerra, Ulisses não teve muita sorte em seu regresso para Ítaca. Durante dez anos, ele e seus companheiros foram forçados a vagar, levados pelos ventos e enfrentando adversários estranhos e perigosos no decorrer do percurso e nas terras que visitaram. Dentre esses lugares, havia a ilha dos Comedores de Lótus, onde os seus homens foram drogados e perderam a memória; a ilha dos Ciclopes, onde os ferozes gigantes de um olho só, filhos do deus ferreiro Hefesto, ameaçaram matá-los; e a Ilha da Aurora, terra da feiticeira Circe, onde os seus homens foram transformados em porcos. Ele teve de conduzir o seu navio entre os terríveis monstros marinhos Cila e Caribdes e escapar das sereias que matavam os marinheiros com o seu canto. Ao longo de todas essas provas, ele agiu com previsão, inteligência, estratégia e astúcia, impelido pela sua determinação de alcançar o seu lar, apesar das oportunidades de amor, riqueza e poder que se apresentaram durante essa sua viagem.

Ulisses, o Rei de Espadas, é a imagem das mais impressionantes habilidades estratégicas da mente humana. De todos os heróis da mitologia grega, Ulisses é o mais brilhante e o mais criativo, apesar de nem sempre ser honesto, pois seus dons intelectuais o tornaram o mais talentoso dos mentirosos. Mas a sua astúcia não era maliciosa, ele sempre a usava a serviço dos princípios que tinha como sagrados — o triunfo sobre os troianos e a santidade de sua terra natal, sua esposa e seu filho Telêmaco. O Rei de Espadas é um homem de princípios, mesmo que às vezes não coincidissem com os dos homens em geral. Ulisses fez muitos inimigos pois, muitas vezes, os seus princípios não condiziam com a situação que ele enfrentava com seus companheiros. A figura do Rei de Espadas tem altos ideais sobre a decência, a bondade e a imparcialidade, e o seu comportamento para com os troianos derrotados reflete bem esses princípios. Mas a sua bondade era fria e não decorria de uma verdadeira resposta emocional adquirida. Muitas mulheres se apaixonaram por ele, mas a sua única maneira de correspondê-las era sexualmente. Portanto, ele nos chega por meio da Mitologia como um brilhante estrategista, um negociante inteligente e manipulador, um homem bom com altos ideais e uma figura fria sem qualquer empatia real por outros indivíduos. Ulisses é a imagem do viandante, não no sentido do Cavaleiro de Espadas que sai em busca de aventuras, mas no sentido de que ele não está arraigado ao coração e, portanto, não está arraigado ao relacionamento com outras pessoas. Suas andanças podem ser interpretadas como uma espécie de homem sem teto, uma falta de ligação que é mais do que compensada por sua decência e inteligência, mas que o isola de seus companheiros e decepciona aqueles que o amam.

O Rei de Espadas incorpora a qualidade de liderança intelectual que é atraente e dinâmica no mundo. A sua ambivalência está em sua tendência à dissociação do sentimento que pode fazer com que pareça um tanto superficial e indigno de confiança. Sem dúvida ele é um homem de altos ideais e, no entanto, também é uma pessoa instável que muda de aliança de acordo com os humores da situação para poder preservar a diplomacia e a cooperação. Apesar de contraditório, em termos, os dois aspectos — de nobreza e de astúcia — da sua natureza surgem da mesma raiz idealista.

No sentido divinatório, quando o Rei de Espadas aparece em uma abertura de cartas, ele anuncia que chegou o momento de encontrar em nós mesmos o dom ambivalente da liderança intelectual e da estratégia. A proeza intelectual e as ideias inspiradas sobre como desenvolvê-las no futuro são qualidades que ele possui em abundância. Algumas vezes essa figura pode aparecer na vida das pessoas na forma de um indivíduo notável, graças aos seus dons mentais e à sua capacidade de promover mudanças no mundo. Mas, se esse indivíduo entrar em nosso ambiente, ele pode ser visto como um catalisador por meio do qual podemos entrar em contato com essa dimensão de nós mesmos.

O NAIPE DE OUROS

As Cartas Numeradas

A história de Dédalo, o escultor e artesão ateniense que construiu o Labirinto para o rei Minos de Creta, é uma lenda sutil e o seu herói tem muitas nuances, pois ele não é um homem totalmente bom nem tampouco um vilão, mas uma curiosa mistura de ambos. Com o seu protagonista engenhoso e amoral, essa história é própria para o naipe de Ouros, porque ilustra os problemas, os desafios, as aspirações, as armadilhas e a complexa moralidade do esforço humano com os seus fracassos e as suas realizações.

Dédalo descendia da casa real de Atenas e era um ferreiro maravilhoso instruído pela própria deusa Atena. Ele passou a sua juventude aperfeiçoando suas habilidades e até dizem que foi ele quem inventou a serra e o machado, bem como foi o primeiro homem a colocar braços e pernas nas primitivas estátuas disformes dos deuses. Ainda jovem, ficou famoso por sua engenhosidade e sagacidade.

Entretanto, esse sucesso prematuro estava malfadado, por seu mau caráter. Dédalo tinha um sobrinho chamado Talos que, apesar de ter 12 anos, começou a superar o seu dotado tio na arte de criar ferramentas e lindos objetos. Ainda criança, Talos inventou a roda do ceramista e o compasso. Dédalo ficou incrivelmente ciumento e desesperado com esse conflito, pois, embora gostasse e admirasse seu sobrinho, em razão de sua ambição não podia tolerar o fato de sua própria reputação ser ameaçada dessa maneira. Então ele matou Talos jogando o garoto do alto do templo de Atena. Preso no momento em que escondia o corpo, Dédalo estava condenado, mas conseguiu fugir de Atenas antes que qualquer sentença lhe fosse imputada.

Ele se dirigiu para Creta e procurou e recebeu a proteção do rei Minos. Durante algum tempo, viveu com grandes favores em Knossos, a capital de Minos, criando maravilhosas arquiteturas para o rei e divertindo as crianças do palácio com brinquedos engenhosos. Foi então que a má sorte atingiu o rei Minos, com quem nos deparamos anteriormente na história da carta da Torre dos Arcanos Maiores.

Minos ofendera o deus Poseidon recusando-se a sacrificar um touro branco no altar do deus e Poseidon revidou fazendo com que Pasifae, a esposa do rei, se apaixonasse perdidamente pelo touro. Levada pela sua louca compulsão, Pasifae pediu que Dédalo encontrasse um meio pelo qual ela pudesse encontrar-se e copular secretamente com o touro. E, assim, Dédalo encontra-se novamente em um grande conflito, pois Minos era o seu protetor e patrono. Entretanto, estava claro que a mão do deus estava sobre Pasifae.

Afinal, Dédalo optou pelo deus e construiu uma vaca de madeira na qual Pasifae entrou e copulou com o touro. Dessa união, nasceu o terrível e horrendo Minotauro, com cabeça de touro e corpo de homem. Desconhecendo o envolvimento de Dédalo nessa concepção, o rei pediu ao artesão que construísse um esconderijo em que o monstro pudesse ser encerrado. Dédalo concordou em servir novamente o seu protetor e construiu os tortuosos corredores do Labirinto no qual, quem ali entrasse, estaria irremediavelmente perdido. Mas quando o herói Jasão chegou à Creta para matar o Minotauro, a filha de Minos, Ariadne, apaixonou-se por ele e dirigiu-se a Dédalo para descobrir um meio de o herói entrar e sair do Labirinto. Novamente Dédalo traiu o seu mestre, preparando um novelo de fio dourado. Foi assim que, com Ariadne segurando a extremidade do novelo, Jasão penetrou nos escuros corredores do Labirinto, matou o Minotauro e voltou à luz do sol são e salvo.

Dessa vez, o rei Minos descobre a traição de seu artesão e encerra Dédalo no Labirinto. Mas o ferreiro engenhosamente consegue fazer um par de asas de cera de abelha, madeira e penas que a agradecida Pasifae lhe trouxe, e levanta voo do alto de uma das torres do Labirinto. Levado pelo vento, ele finalmente consegue pousar em Cumae, na costa da Itália. Dali ele se dirige para a Sicília, onde recebe os favores do rei Cocalos.

Furioso com a sua fuga, o rei Minos perseguiu Dédalo por toda a Grécia e Itália, levando consigo uma concha triton de formato cônico com um furo muito pequeno na ponta e, por onde passava, oferecia uma grande recompensa para quem conseguisse passar um fio de algodão através dela — um feito que, ele sabia, somente Dédalo conseguiria realizar. E foi dessa maneira que o rei descobriu o seu esconderijo. Mas Cocalos não quis separar-se dele e ordenou que suas filhas derramassem óleo quente no banho de Minos e, assim, Dédalo conseguiu viver satisfeito e rico até atingir uma idade avançada.

O NAIPE DE OUROS

O Ás de Ouros

A carta do Ás de Ouros retrata um homem moreno e forte com longos cabelos encaracolados e uma cauda de peixe, emergindo das profundezas do mar e erguendo um grande pentáculo dourado. Ao seu redor, rochedos ricamente recobertos de vinhas com cachos de uva amadurecendo. A distância, um cenário de verdes e férteis colinas rodeando uma baía.

Aqui nos deparamos com o deus Poseidon, o qual encontramos na carta da Torre dos Arcanos Maiores. Poseidon era um dos filhos de Cronos e Réa e participou do destino de seus irmãos e irmãs, sendo engolido pelo pai ao nascer. Mas a bebida que Zeus serviu a Cronos fez com que ele regurgitasse todos os filhos que havia engolido. Após a vitória sobre Cronos, a herança paterna foi dividida em três partes: Zeus tomou posse dos vastos céus; Hades, do sombrio Submundo; e Poseidon, dos mares, lagos, rios e de toda a superfície da Terra, visto que ela era apoiada sobre as suas águas e ele podia fazê-la tremer à vontade. Ele ficou famoso entre os deuses pelo seu anseio por terras e entrava em conflito com muitos deles por tentar apossar-se de ilhas e partes da costa da Grécia.

Poseidon era um deus da fertilidade, marido da grande Mãe-Terra e senhor do Universo físico. Ele era chamado de "agitador da Terra" e venerado na forma de um touro, um grande animal preto com olhos flamejantes, que vivia nas entranhas da Terra; com suas pisoteadas ele fazia com que as montanhas se movessem e os mares inundassem a Terra. Portanto, Poseidon é uma das forças primitivas da natureza e, no Ás de Ouros, ele mostra o seu poder como o impulso de uma nova energia para a criação material. Em contraste com o Ás de Paus, que se ergue como o nascimento de uma nova visão criativa, o Ás de Ouros volta a sua imensa potência criativa para a Terra, e essa emergente necessidade de concretizar e criar no mundo manifesto é aquela que dá suporte às nossas ambições materiais. O indivíduo que ambiciona riquezas e faz as coisas acontecerem em nível material experimenta algo do poder desse antigo deus terreno, e o Ás de Ouros anuncia a erupção de uma nova ambição para a criação e o sucesso material.

No sentido divinatório, o Ás de Ouros prevê a possibilidade de uma realização material porque, agora, a energia primitiva para esse trabalho está disponível ao indivíduo. Muitas vezes dinheiro sobrevém na forma de uma herança ou de qualquer outra fonte, acompanhado da engenhosidade e da persistência em utilizar esses recursos efetiva e eficientemente.

O Dois de Ouros

A carta Dois de Ouros retrata Dédalo, um homem moreno, de cabelos castanhos e vestindo uma túnica ocre e um avental de couro, em sua oficina. À sua frente, a sua mesa de trabalho sobre dois pentáculos dourados. Em ambos os lados, em uma treliça de maneira, uma vinha cheia de cachos de uva. Atrás dele, um cenário de ricas colinas verdes. Em sua mão esquerda, Dédalo segura o machado que acabou de inventar e, em sua mão direita, uma serra, também invenção sua.

A imagem do Dois de Ouros retrata Dédalo em início de carreira, quando desenvolve as suas habilidades e cria a sua reputação entre os atenienses, aplicando a sua engenhosidade em novas invenções, investindo seus esforços em novos projetos e mantendo-se ocupado e ativo, trabalhando em várias coisas ao mesmo tempo. A figura apresenta um homem materialmente ambicioso que ainda é aberto a novas ideias criativas e disposto a assumir riscos para poder pôr em prática os seus talentos. Entretanto, essa flexibilidade pode desaparecer bruscamente ao ficarmos presos a uma estrutura de sucesso que conseguimos angariar; mas ela sempre estará presente no início e, quando o Dois de Ouros aparecer, poderá ser recuperada.

Portanto, o Dois de Ouros representa o estado de mudança ou de oscilação dos bens materiais. Essa flutuação não implica prejuízos, mas um fluxo de energia criativa dirigida a vários projetos. Aqui, o poder primordial do Ás de Ouros foi polarizado como em todos os Dois dos Arcanos Menores, e o impulso para a criação material deve ser fundamentado e canalizado. O conhecido dito popular "dinheiro faz dinheiro" é bem apropriado para essa carta, pois é necessário assumir riscos e usar o capital para que ele trabalhe e produza antes da realização dos lucros. O Dois de Ouros exige flexibilidade e disposição para fazer dinheiro e energia trabalharem, e muitas vezes isso significa manipular e movimentar os recursos de uma maneira que, para o indivíduo inexperiente, isso possa parecer um risco desnecessário que provoca ansiedade. Entretanto, a carta do Dois de Ouros pode ser interpretada como "boa", pois, apesar de sugerir a necessidade de prudência nos assuntos financeiros, ela promete recompensas, porque a energia criativa está devidamente trabalhada e movimentada.

No sentido divinatório, o Dois de Ouros anuncia o momento em que dinheiro e energia podem ser disponibilizados em novos projetos que podem levar a um futuro compensador. Mas o indivíduo deve estar disposto em fazer trabalhar os recursos assumindo riscos e fazendo uso do capital, em vez de pensar em economizar justamente quando as novas oportunidades estão surgindo. Por conseguinte, a carta do Dois de Ouros pode ser favorável para aqueles que sabem lidar com o dinheiro.

O Três de Ouros

A carta Três de Ouros retrata Dédalo em pé em uma plataforma ou sobre um pódio, vestindo ainda a sua túnica ocre e avental de couro. À sua frente, três atenienses ricamente, mas não ostentosamente, vestidos. Cada um lhe oferece um pentáculo dourado. Ao redor dos quatro homens, uma treliça com vinhas e um cenário de colinas verdes sob um céu claro e azul.

O Três de Ouros, comum a todos os Três dos Arcanos Menores, implica uma integração inicial, e aqui podemos ver Dédalo recebendo as primeiras recompensas por seus trabalhos. A integração inicial representa os primeiros estágios da concretização de um projeto que é parecida com a finalização da estrutura externa de um edifício antes que qualquer estrutura interna ou decoração tenha sido desenvolvida.

Dédalo conseguiu uma posição firme no início de sua carreira, apesar de ainda não sabermos se ele poderá reforçar essa posição para fazer com que seja permanente. Pelo que sabemos do mito, ele não conseguiu. Portanto, a integração inicial do Três de Ouros não é o estágio final de um projeto. Pode haver muito trabalho, dificuldade e risco antes de nos considerarmos materialmente seguros.

O Três de Ouros dá motivos para comemorar, mas essa comemoração deve ser encarada com a conscientização de todo o trabalho que se encontra à frente. Na história de Dédalo, o fator que causa o colapso desse sucesso inicial não é material, mas uma deficiência de caráter do próprio homem. Isso também precisa ser considerado ao avaliar o significado das cartas numeradas do naipe de Ouros, pois as recompensas materiais que esse naipe promete dependem não somente das específicas habilidades comerciais e da disposição de trabalhar com afinco, mas também do próprio caráter do indivíduo. A falta de habilidade em reconhecer seus próprios limites ou acreditar que o indivíduo possa fazer o que quiser no mundo material, sem considerar as consequências alheias, muitas vezes representa aquela deficiência fatal que pode levar ao colapso do sucesso inicial indicado pelo Três de Ouros.

Portanto, a mensagem dessa carta é: aproveite os primeiros resultados de seu trabalho, porém considere o futuro, não somente em termos do trabalho que ainda deverá ser feito, mas em termos de sua própria capacidade de execução.

No sentido divinatório, o Três de Ouros anuncia um período de sucesso inicial resultante de um esforço material. Um projeto pode render benefícios ou um empreendimento criativo, como o lançamento de um livro, pode apresentar um sucesso inicial no mercado. Mas, como todos os Três das cartas numeradas, esse não é um resultado final, todavia um estágio no qual, por meio de grandes esforços, o indivíduo poderá ser levado a uma realização mais permanente.

O Quatro de Ouros

A carta Quatro de Ouros retrata Dédalo segurando firmemente em seus braços quatro pentáculos dourados. Ele olha com raiva para um garoto ocupado em sua mesa de trabalho – seu sobrinho Talos –, vestido com uma túnica verde, de feições morenas e cabelos castanhos, concentrado em um lindo enfeite que ele está completando. Ao redor dos dois, uma treliça com vinhas bem carregadas e, no cenário, colinas verdes podem ser vistas a distância contra um céu claro e azul.

Às vezes, o Quatro de Ouros é chamado de carta do sovina, porque implica uma condição de ser apegado demais ao próprio dinheiro ou a uma situação material. Por causa desse apego, o fluxo de energia, sempre necessário ao naipe de Ouros para desenvolver o sucesso material, é prejudicado e começa a estagnar. Aqui podemos ver Dédalo correspondendo com raiva e ciúmes ao seu dotado sobrinho, que já o superou em habilidades com a sua pouca idade. Em vez de ir ao encontro desse desafio competitivo de maneira mais criativa, Dédalo escolheu reagir tentando agarrar-se por demais à situação do passado. Finalmente, isso leva à destruição não somente de Talos, mas do próprio Dédalo.

O Quatro de Ouros não diz respeito unicamente ao apego excessivo ao dinheiro, pois ele é um símbolo e uma realidade objetiva, e é por meio do dinheiro que determinamos a nossa avaliação das coisas. Portanto, representa o nosso próprio valor, o preço que determinamos com relação à nossa própria expressão. As recompensas que o indivíduo espera por suas habilidades também representam uma estimativa de avaliação de seus talentos em termos de valor e, por nos faltar frequentemente a compreensão do significado mais profundo do dinheiro em nossas vidas, presumimos que o próprio dinheiro seja responsável pela maioria dos males do mundo.

Os ensinamentos espirituais sugerem que o dinheiro seja intrinsecamente nocivo e corrupto, mas esses ensinamentos não definem uma distinção entre o objetivo real e o valor emocional que nele colocamos. Portanto, o ciúme de Dédalo não diz respeito realmente

O NAIPE DE OUROS

ao empreendimento que ele poderia perder pelo fato de seu sobrinho criar objetos mais bonitos, pois devemos presumir que o mercado ateniense fosse grande o suficiente para prestigiar os dois; além disso, ele poderia ter usado o desafio de Talos como impulso para desenvolver ainda mais os seus próprios talentos. Entretanto, o ciúme indica um problema em sua autoestima, pois a de Dédalo está embutida no que ele faz e a perda de uma pode acarretar a perda da outra.

Por conseguinte, o Quatro de Ouros é uma carta sutil, pois não se refere unicamente à atitude mesquinha que faz com que o indivíduo fique muito apegado aos seus recursos, causando a estagnação da energia e a impossibilidade de angariar ganhos futuros. Essa carta também descreve o problema interior de falta de confiança e do medo em deixar fluir, o que pode resultar na estagnação, tanto material quanto emocional. Deixar a energia emocional fluir livremente faz com que também os recursos fluam e o indivíduo apegado demais, aquele que não consegue delegar autoridade ou acumula e armazena elogios e generosidade, acaba criando um bloqueio tanto interno quanto externo.

No sentido divinatório, o Quatro de Ouros adverte sobre uma atitude de apego exagerado às coisas ligadas ao nosso sentido de autoestima. O medo da perda pode significar "não perder", mas também significa "não lucrar", pois há uma estagnação da energia criativa que, eventualmente, não somente bloqueia fundos, mas também a autoexpressão.

O Cinco de Ouros

A carta Cinco de Ouros retrata Dédalo coberto com um manto remendado fugindo sorrateiramente da cidade onde há pouco tempo recebera tanta honra. Em uma colina atrás dele, está a sua oficina com a treliça enfeitada de vinhas e apresentando cinco pentáculos dourados – o sucesso que Dédalo deve abandonar atrás de si. O marrom das colinas faz parte do cenário árido e da estrada que Dédalo agora percorre. No céu escuro, aparece uma lua em sua fase minguante.

O Cinco de Ouros é uma carta de perda e podemos ver como ela segue naturalmente a resposta negativa ao desafio do Quatro de Ouros. Como Dédalo não podia adequar-se ao desafio da concorrência, procurou apegar-se à situação do passado e isso envolvia a única solução do assassinato de seu talentoso sobrinho. Agora ele foge de Atenas como um miserável, deixando para trás as recompensas de duros anos de trabalho.

Muitas vezes o Cinco de Ouros indica o perigo de um período de perda financeira, mas o mais relevante é que implica uma perda de autoconfiança. Como tantas vezes confundimos autoestima com segurança material, um revés financeiro pode destruir a confiança material, assim como o sentido de direção do indivíduo e a fé em si mesmo.

Durante a queda desastrosa da bolsa americana em 1929, muitos indivíduos reagiram à catástrofe financeira cometendo suicídio — uma cruel resposta, se considerarmos a preciosidade da vida humana e, no entanto, uma reação compreensível, se pensarmos quantos são os muitos indivíduos que identificam sua autoestima com o sucesso material. A mensagem do Cinco de Ouros é deixar fluir, porque a ocorrência de um desastre material pode significar que ele fosse necessário e a inevitável erradicação de uma atitude errada ou imprópria.

O colapso de Dédalo acontece graças a uma deficiência fatal em seu caráter e a sua perda pode, talvez, ter sido o único meio de perceber realmente que o seu pior inimigo fosse ele mesmo. Se as dificuldades materiais puderem ser consideradas dessa maneira, então os problemas refletidos pelo Cinco de Ouros podem derradeiramente resultar na transformação interior do indivíduo para que o futuro produza um renovado sucesso material, aliado a um centro interior mais sólido que lhe permitirá enfrentar os desafios que o sucesso traz consigo.

No sentido divinatório, o Cinco de Ouros prevê um período de dificuldade ou perda financeira. Isso pode ser acompanhado de uma perda de autoconfiança e é importante tentar corresponder ao desafio deixando as coisas fluírem e preparando-se para um novo início, considerando também o exacerbado problema para o qual a nossa própria natureza nos levou.

O Seis de Ouros

A carta Seis de Ouros retrata Dédalo respeitosamente ajoelhado, suas mãos cruzadas em um gesto de súplica. À sua frente, sentado em um trono dourado está o rei Minos de Creta – um homem maduro de barba e cabelos pretos e tez morena, vestido em púrpura real e portando uma coroa dourada. Em suas mãos, o rei segura seis pentáculos dourados, que oferece a Dédalo em sinal de futuro apadrinhamento. Atrás do artesão ajoelhado e do trono real, os muros do palácio de Minos decorados com frisos pintados representando dançarinos e touros e as bordas com cachos de uva.

O Seis de Ouros é uma carta harmoniosa que reflete a renovação da fé que aqui acompanha a fuga bem-sucedida de Dédalo para Creta e o favorecimento da proteção do poderoso e rico rei Minos. Depois da catástrofe do Cinco de Ouros e suas implicações de perdas tanto de bens materiais quanto da confiança na vida e nas próprias habilidades, o Seis de Ouros promete uma recuperação proporcionada pela generosidade e pela caridade das pessoas.

O clima dessa carta não diz respeito a recompensas por trabalhos realizados, mas à benevolência. Às vezes, podemos contar com retribuições da própria vida, que nem sempre é cruel e que derradeiramente e de alguma forma recompensa o indivíduo pelos seus grandes esforços. Essa experiência da generosidade da vida surge do interior do próprio indivíduo e não da caridade de outras pessoas, pois descobrimos que ainda é possível dar incondicionalmente, apesar dos nossos reveses e perdas. Portanto, o significado mais profundo do Seis de Ouros toca em uma importante faceta da criação manifestada, porque nem tudo é consequência da vontade consciente ou do erro. Às vezes, a boa sorte cruza o nosso caminho e, apesar de não podermos planejá-la ou esperá-la, geralmente ela sobrevém no momento em que as nossas posses estão no mais baixo nível.

Dédalo não é uma pessoa totalmente ruim, apesar do crime que cometeu. Ele é um homem ambivalente, capaz de proporcionar tanto muitos benefícios quanto malefícios e, portanto, a vida não o julga da mesma forma que a sociedade o julgaria — aqui representada pela ira dos atenienses. Ele sofreu por seu crime pela pobreza, pelo exílio e pela humilhação, e agora um novo ciclo se inicia, anunciado por um desses golpes de boa sorte que se apresenta na forma de bondade e de generosidade — as nossas ou as dos outros.

No sentido divinatório, o Seis de Ouros prevê uma situação que promete dinheiro ou posses a ser compartilhados e dos quais o indivíduo será chamado a oferecer generosidade ou será objeto dela. E, assim, a fé na vida e na própria capacidade é readquirida.

O Sete de Ouros

A carta Sete de Ouros retrata Dédalo no palácio do rei Minos. À sua direita, em uma coluna pintada sobre a qual ele pousa a sua mão possessivamente, estão seis pentáculos dourados. À sua esquerda, está a rainha Pasifae vestida em túnicas de cor escarlate e portando uma coroa dourada sobre seus cabelos castanhos. Ela apresenta uma expressão de angústia e de desespero e oferece ao arquiteto um único pentáculo dourado. Atrás dela, a cara e os ombros de um touro branco.

O Sete de Ouros retrata a situação de uma difícil decisão. Podemos ver Dédalo em uma posição de segurança material e de favoritismo real representados pelos seis pentáculos dourados a seu lado. Ele trabalhou muito para conseguir o seu lugar na corte de Minos e pode estar honestamente orgulhoso do novo edifício que construiu da ruína representada pelo Cinco de Ouros e do golpe benévolo do Seis de Ouros. Mas agora um novo fator entrou na história: uma proposta que pode ser ainda melhor do que todas as recompensas passadas ou que podem levá-lo à ruína total. Aliar-se à rainha Pasifae significa trair o seu protetor, mas ao mesmo tempo significa favorecer a vontade do deus Poseidon que, como um deus, pode tornar-se uma escolha e uma aliança muito mais sensata.

Simplificando, a escolha de Dédalo retratada pelo Sete de Ouros reflete uma situação em que somos chamados a decidir entre a segurança de tudo o que já construímos e as possibilidades duvidosas e incertas de outra direção que pode ou não levar ao sucesso futuro. Um polo representa a escolha segura, apesar de essa situação envolver o perigo da estagnação e até de uma fatalidade, se algo "divinamente inspirado" for rejeitado a favor do que é seguro, mas faltando-lhe vitalidade. O outro polo representa algo possivelmente arriscado, até perigoso e talvez "imoral" no sentido de como foi considerado pela opinião pública. Entretanto, essa nova possibilidade perigosa contém uma força vital e um potencial de crescimento que podem ser muito mais favoráveis do que as recompensas do caminho seguro.

Assim, o Sete de Ouros representa uma situação que, cedo ou tarde, acontece com todos os indivíduos que tentam manifestar energia criativa no mundo. O esperado sucesso pode ser alcançado, mas, juntamente com ele, o espírito juvenil do risco é geralmente despercebido e pode haver um limite ao que podemos realizar por meio de um só canal. O problema é enveredar ou não por esse novo caminho e oportunidade e arriscar-se a perder tudo o que foi acumulado.

No sentido divinatório, o Sete de Ouros prevê um período em que uma difícil decisão de trabalho deve ser tomada. Cuidado e previsão são necessários e a pergunta surge: se deveríamos continuar desenvolvendo o que já construímos ou empenharmos energia em um novo projeto.

O Oito de Ouros

A carta Oito de Ouros retrata Dédalo em sua oficina nos recintos do palácio do rei Cocalos, na Sicília. Aos seus lados, ricos cachos de uva decoram os postes de madeira. Atrás dele, um cenário de montanhas verdejantes que leva para o mar. Aos pés do ferreiro, sete pentáculos dourados, ainda inacabados, esperam ser terminados. Na mesa de trabalho à sua frente, um único pentáculo dourado ao redor do qual Dédalo entalha uma borda elaborada.

O Oito de Ouros apresenta Dédalo novamente como um aprendiz, trabalhando com afinco no desenvolvimento de suas habilidades. Aqui se implica o natural resultado do Sete de Ouros: Dédalo optou por favorecer o deus e, consequentemente, um novo caminho se abre para ele, no qual novas habilidades devem ser adquiridas para que o projeto possa florescer e dar frutos. O Oito de Ouros é a carta do aprendiz, porém, diferente do Dois de Ouros, na qual vimos o artesão manipulando as suas energias e desenvolvendo os seus talentos por meio da movimentação de fundos e de recursos, o Oito de Ouros não implica instabilidade. Aqui, podemos ver o espírito de dedicação e uma energia dirigida para um objetivo.

Muitas vezes, o entusiasmado espírito é acompanhado de um novo evento, principalmente se este for totalmente diferente do que foi feito anteriormente. De muitas maneiras, o Oito de Ouros coincide com o período da vida que a Psicologia considera como "crise de meia-idade", pois, de certa forma, o Sete de Ouros a representa: o que éramos tornou-se insípido e superado; no entanto, o novo ciclo envolve, muitas vezes, ansiedade e medo de perder toda a estabilidade que construímos. Mas, se essa transição for executada com sucesso, poderemos ver a energia renovada do Oito de Ouros, que implica não somente entusiasmo na aquisição de novas habilidades, mas também a realização de que não exaurimos todos os nossos potenciais e que podemos ainda continuar crescendo, manifestando novos empreendimentos.

No sentido divinatório, o Oito de Ouros anuncia um período no qual o indivíduo interpreta o papel do aprendiz que se esforça em adquirir uma nova habilidade. Essa carta sugere um talento recentemente descoberto que merece os esforços do desenvolvimento ou implica um passatempo que pode ser transformado em uma profissão. O indivíduo pode experimentar um grande entusiasmo e interesse por um novo campo de trabalho, no qual deverá começar como um aprendiz esforçado, muitas vezes em um período da vida em que ele já deveria estar firmemente estabelecido.

O Nove de Ouros

A carta Nove de Ouros retrata Dédalo com suas mãos cruzadas em uma postura e sorriso de satisfação. Ele abandonou a sua túnica ocre e avental de couro e agora veste um traje ocre bordado a ouro; em sua cabeça, uma coroa de louros. Aos seus lados, vinhas carregadas de cachos de uva sobem por uma treliça e, mais distante, um cenário de montanhas verdejantes e um calmo mar azul. Junto ao artesão, amontoados no chão, nove pentáculos dourados.

O Nove de Ouros retrata um estado de grande autossatisfação. Dédalo arriscou-se em um empreendimento perigoso, trabalhou com afinco para desenvolvê-lo, assumiu os riscos, sofreu os consequentes perigos e agora admira as recompensas que dignamente mereceu. A importância e a diferença do Nove de Ouros são que o prazer do artesão não se refere ao aplauso e ao reconhecimento público. Essa é a satisfação solitária da realização de coisas boas, o prazer da autossuficiência e a realização que somente pode decorrer do sentido interior e oferecido pelo próprio indivíduo. Dédalo pode dizer honestamente "eu consegui à minha maneira", pois sua adquirida riqueza é realmente um símbolo do sentido de autoestima que somente pode decorrer do interior do indivíduo. O artesão fez as pazes com o seu passado obscuro e com seu período de perda e de exílio; ele também conseguiu enganar o rei Minos que o perseguiu em razão da sua decisão de ajudar a rainha e seguir a vontade do deus Poseidon. O perigo agora ficou no passado e Dédalo pode sentir satisfação pelos seus esforços e sua astúcia que asseguraram a sua sobrevivência, riqueza e posição pelo resto de sua vida.

Portanto, o Nove de Ouros é uma carta de recompensa e de realização aos nossos próprios olhos, sabendo que, mesmo que ninguém reconheça o valor do que foi realizado, é bem merecido ser reconhecido por nosso próprio interior. Há uma permanência e uma indestrutibilidade acerca da satisfação representada pelo Nove de Ouros que não está presente em qualquer outra carta dos Arcanos Menores. Essa satisfação depende de nada e de ninguém além de nós mesmos. Uma vez estabelecida, não pode ser destruída, mesmo que toda a riqueza nos seja retirada. O Nove de Ouros é mais do que uma carta de realização material. Em um sentido mais sutil, ela implica a descoberta de um sentido profundo e permanente de autoestima, angariado por meio do trabalho árduo ao enfrentar os desafios da vida no nível material e sobrevivendo a todos.

No sentido divinatório, o Nove de Ouros prevê um período em que o indivíduo pode estar honestamente satisfeito consigo mesmo e com o que conseguiu realizar. Muitas vezes, há um forte sentido de identidade, um sentimento de nossas habilidades especiais e o valor de nossa própria vida. Essa carta reflete a satisfação solitária e autossuficiente das coisas boas realizadas que não dependem da concordância e da aprovação de qualquer pessoa para promover o prazer e a profunda satisfação.

O Dez de Ouros

A carta do Dez de Ouros retrata Dédalo como um homem velho, com cabelos grisalhos. Ele está confortavelmente sentado com os netos ao seu redor: o patriarca e fundador de uma linhagem. Aos seus lados, pendurados em colunas recobertas de vinhas, dez pentáculos dourados, cinco de cada lado. Em seu colo, uma criança brincando com um chocalho dourado. À sua esquerda, encontra-se uma mulher com cerca de 30 anos, vestida de verde e portando um lindo colar dourado. Aos seus pés, um garoto de 10 anos brinca com um cavalo dourado. Em um cenário distante, ricas montanhas verdejantes e um calmo mar azul.

O Dez de Ouros retrata uma situação de permanência que sobrevive à vida de um único indivíduo. Aqui, seguro em sua posição na corte do rei Cocalos da Sicília, o artesão finalmente depositou as suas raízes e fundou uma dinastia. Agora, ele pode transferir e passar adiante tanto a sua fortuna e seu poder quanto as suas realizações ao chegar o momento de sua despedida definitiva, seguro em seu conhecimento de que o seu trabalho lhe sobreviverá.

Os objetos dourados que ele fabricou, o chocalho, o colar e o cavalo de brinquedo, são os seus presentes ao futuro, para que o processo de manifestação, representado em todas as cartas do naipe de Ouros, consiga a sua conclusão natural, em uma imagem de permanência que forma a contribuição individual das gerações futuras. De certa forma, este é o significado mais profundo do processo da manifestação de ideias criativas, pois toda a vida individual é transitória e nenhum ser humano vive para sempre. No entanto, o sentido de profunda satisfação e de realização pode ser alcançado pela realização de que podemos construir alguma coisa duradoura para o mundo futuro.

Para o naipe de Paus, a imortalidade está na imaginação e para o naipe de Espadas, está no poder divino da mente; para o naipe de Copas, ela está na experiência do amor que toca o transpessoal. Mas, para o naipe de Ouros, somente o que está aqui é real e é esse sentimento de o indivíduo ter deixado uma marca — e que a passagem pela vida não foi um simples pestanejar insignificante que logo desaparece — que muitas vezes forma o núcleo do que chamamos de ambição material.

O NAIPE DE OUROS

Por conseguinte, a aparente ambição e o materialismo crassos, muitas vezes associados com os esforços materiais, podem ter em seu núcleo uma profunda necessidade humana de oferecer uma parte de nós mesmos à vida como indicador permanente de nossa passagem por ela. Uma vida plena como foi a de Dédalo, com suas boas e más ações e uma disposição para enfrentar os desafios independentemente das consequências em vez de ficar morgando pacificamente na cama, pode levar à experiência de ter plenamente realizado um destino, deixando alguma coisa para ser passada às gerações futuras.

No sentido divinatório, o Dez de Ouros sugere um período de contínuo contentamento e segurança, e o sentido de algo permanente ter sido estabelecido que pode ser transferido a outras pessoas. Isso pode se referir a uma herança material de riquezas ou de propriedades, ou pode ser na forma de uma realização artística, como um livro ou uma pintura que sobreviverá e apresentará o seu valor, independentemente do nosso próprio tempo de vida.

As Cartas da Corte

O Pajem de Ouros

A carta do Pajem de Ouros retrata um garoto de cerca de 12 anos com cabelos castanho-escuros e tez morena, vestindo uma túnica verde. Ele se encontra no meio de um fértil campo arado do qual começa a brotar uma variedade de verduras, flores e ervas. Ele segura um pentáculo dourado com as duas mãos. Acima dele, um céu azul-pálido.

Na carta do Pajem de Ouros, deparamo-nos com o elemento Terra em seu delicado e frágil início — a consciência nascente dos sentidos, da natureza e da capacidade de manifestar coisas no mundo. Ela é representada pela figura mitológica do garoto Triptólemo, filho do rei Celéu de Elêusis. Um dia, o garoto e seus irmãos estavam ajudando o pai em seu trabalho nos campos; Triptólemo cuidava do gado, enquanto seus dois irmãos cuidavam dos carneiros e dos porcos. Foi então que os três presenciaram um estranha cena. De repente, a terra abriu-se em uma fenda, engolindo todos os porcos do rei Celéu. Depois apareceu uma carruagem puxada por dois cavalos pretos que desceu pela fenda. O rosto do condutor não era visível, mas o seu braço direito segurava uma garota que gritava em desespero.

O que os três irmãos presenciaram foi o rapto de Perséfone pelo obscuro deus Hades, senhor do Submundo, cuja história foi apresentada na carta da Imperatriz e da Sacerdotisa dos Arcanos Maiores. A mãe de Perséfone, Deméter, percorreu incansável o mundo todo em busca de informações sobre o desaparecimento de sua filha. Quando ela chegou disfarçada de Elêusis, somente o garoto Triptólemo a reconheceu e lhe forneceu a informação de que ela precisava. Por seu ato de bondade, a Mãe-Terra recompensou Triptólemo ensinando-lhe primeiro a venerá-la e os mistérios — essencialmente os mistérios da Natureza e a morte e a regeneração da vida por meio dos ciclos sasonais. Ela então entregou ao garoto sementes de milho, um arado de madeira e uma carruagem puxada por serpentes, e o instruiu a viajar o mundo ensinando à humanidade a arte da agricultura.

Triptólemo, o Pajem de Ouros, é a imagem dos primeiros e delicados esforços para se relacionar com o mundo sensual que deve emergir antes que qualquer maior ambição material possa ser empreendida. Como é próprio de todos os Pajens dos Arcanos Menores, o Pajem de Ouros é um botão de flor, um pequeno início, e, como todos os botões, esse gentil e delicado início de reconhecimento do valor do mundo material deve ser alimentado e protegido para não ser pisado pela insignificância e pela negligência. Muitas vezes, o Pajem de Ouros pode sugerir o interesse prematuro em algum passatempo novo que começa como mera ideia ou entusiasmo, mas que, incentivado e desenvolvido paulatina e pacientemente, pode eventualmente se tornar uma vocação plena que pode resultar em recompensas materiais e emocionais, e realizações.

Todos nós experimentamos esses pequenos entusiasmos, mas quantos de nós os seguimos realmente, tentando antes os primeiros passos necessários que nos levem a algo maior? Triptólemo, o Pajem de Ouros, é uma criança séria, responsável e trabalhadora como poucas crianças; com sua pouca idade, ele é encarregado do gado de seu pai, em vez de brincar com as outras crianças. Assim, a energia do Pajem de Ouros precisa ser tratada gentil e seriamente.

Dessa mesma maneira, a imagem de Triptólemo pode refletir os inícios delicados da sensualidade emergente, principalmente se em toda a sua vida o indivíduo subestimou essa dimensão de experiência. Os inícios da percepção sensual em um temperamento mais intelectual ou imaginativo podem passar despercebidos ou rejeitados; no entanto, o mito de Triptólemo sugere que, se a vida do corpo é reconhecida e valorizada, assim como o garoto reconhece os valores da deusa Deméter, grandes recompensas podem surgir no futuro. Para muitas pessoas, essa percepção nascente do corpo pode tomar a forma de um desejo de cuidar melhor de si mesmo por meio de uma dieta ou de exercícios, ou buscando mais tempo para relaxar, ou ainda pelo interesse em jardinagem ou mesmo cuidando de animais — ocupações que levam a um relacionamento mais profundo e mais forte com a própria terra.

O Cavaleiro de Ouros

A carta do Cavaleiro de Ouros retrata um jovem forte de cabelos castanhos, montado em um grande cavalo marrom. Ele veste uma túnica verde-limão, uma armadura e um elmo em couro marrom. Em sua mão direita ele segura um pentáculo dourado e, em sua esquerda, um feixe de trigo.

Ao seu redor, ovelhas espalhadas em grandes pastos verdejantes e um pequeno bosque de oliveiras com colmeias. Acima dele, um céu de azul-brilhante.

Na carta do Cavaleiro de Ouros deparamo-nos com a dimensão laboriosa, versátil e mutável do elemento Terra que está em constante movimento. Ele é representado pela figura mitológica de Aristeu, chamado de "Guardião dos Rebanhos". Aristeu era filho do deus-Sol Apolo e de uma mortal chamada Cirene. Ainda criança, ele foi entregue à Mãe-Terra, que o alimentou com néctar e ambrosia. As dríades ou três ninfas ensinaram Aristeu como coagular o leite para fazer queijo, construir colmeias e fazer a oliveira produzir a azeitona cultivada. Ele ensinou essas artes úteis às pessoas enquanto jovem ainda, viajando incessantemente pela África do Norte e Grécia, e angariando honras em seu caminho.

Quando Aristeu alcançou a maturidade, as Musas lhe ensinaram as artes da cura e da profecia, e o encarregaram de vigiar suas ovelhas que pastavam na Planície de Ftia. Foi ali que ele aperfeiçoou a arte da caça. Um dia Aristeu consultou o oráculo de Delfos, de seu pai Apolo, que lhe disse para visitar a Ilha de Keas (atual Zea ou Tzia), onde ele seria muito prestigiado. Embarcando imediatamente, Aristeu soube que uma praga havia atingido os ilhéus, pelo fato de criminosos secretos haverem se infiltrado entre eles. Aristeu condenou à morte os criminosos e a praga foi eliminada. Os keanos cumularam-no de gratidão. Ele então visitou a Arcádia e mais tarde a cidade de Tempe, na Tessália, onde as suas abelhas começaram a morrer e ele foi avisado por sua mãe a visitar o velho deus marinho Proteu, que era profeta, e forçá-lo a explicar o motivo da catástrofe. Aristeu saiu à sua procura e, encontrando-o, capturou-o. Forçado a responder, Proteu disse que a doença das abelhas foi causada por um infeliz episódio amoroso que resultou na morte acidental da mulher. Em vista disso, Aristeu estava sendo castigado pelos deuses. Como reparação, ele ofereceu vários animais em sacrifício às divindades ofendidas, e das carcaças desses animais surgiu um enxame de abelhas que ele capturou e colocou em suas colmeias. Então, continuou suas viagens para a Líbia, dali para a Sardenha e, finalmente, para a Sicília. Depois se dirigiu para a Trácia, ainda irrequieto e em busca de outras tarefas. E, finalmente, fundou uma cidade com o seu nome, onde morreu respeitado por sua sabedoria.

Aristeu, o Cavaleiro de Ouros, é a imagem da capacidade humana pelo trabalho e pelo serviço diligente. Ele não é realmente um herói, pois não enfrenta dragões ou missões perigosas, e o seu maior desafio é a cura de abelhas doentes. Mas, assim mesmo, ele é uma figura poderosa e criativa. A personalidade de Aristeu é aquela do amante do campo e amigo dos animais e das criaturas selvagens, considerando que todo trabalho é importante, desde que sirva a vida da Natureza. Apesar da limitação de seus objetivos — Aristeu nunca pôde ser acusado do grandioso orgulho que aflige tantos heróis gregos e que é a causa tanto de sua glória quanto de sua queda —, ele é bondoso e confiável, com vontade de trabalhar com afinco nos assuntos que lhe dizem respeito. Apesar de quase todas as figuras da mitologia grega serem culpadas de estupro, sedução, assassinato ou outro crime qualquer, é peculiar o fato de Aristeu aceitar de boa vontade uma missão cansativa e detalhada, cumprindo-a impecavelmente a fim de beneficiar algumas abelhas.

Aristeu representa o nosso lado humilde o suficiente para relacionar-se com as formas mais humildes da vida e que está sempre pronto a aprender mais sobre as facetas variadas e complexas da Natureza. O Cavaleiro de Ouros não é uma figura fascinante, mas é capaz de grande satisfação, porque as suas realizações são sempre cingidas de realismo e de objetivos humildes. Essa é a qualidade que nos permite aceitar de bom grado a tarefa que pode ser aborrecida, mas que oferece muito trabalho, e desempenhar criteriosamente as tarefas da vida cotidiana. Aristeu não tem nenhuma pretensão à divindade e, no entanto, é filho de um deus e, depois de sua morte, ele foi venerado como divino.

No sentido divinatório, quando o Rei de Ouros aparece em uma abertura de cartas, chegou o momento de o indivíduo desenvolver a dimensão da personalidade que está confortável e firmemente ancorada nas tarefas cotidianas da vida. O Cavaleiro de Ouros pode entrar em nossa vida como um jovem trabalhador, humilde e gentil, faltando-lhe talvez imaginação, mas rico nas qualidades de confiabilidade e gentileza. Se essa pessoa entrar em nossa esfera de relacionamentos, isso pode ser interpretado como uma oportunidade para aprender mais a respeito desse nosso lado pelo catalismo de outra pessoa.

A Rainha de Ouros

A carta da Rainha de Ouros retrata uma linda mulher com ricos cabelos e olhos castanhos, vestindo uma túnica sensual castanho-avermelhada e portando uma coroa dourada na cabeça. Ela está sentada em um trono em cujos braços estão entalhadas cabeças de touros. Em sua mão direita ela segura um pentáculo dourado e, na esquerda, um cacho de uvas. Ao seu redor, pastos maduros, verdes e dourados, nos quais um rebanho de gado pode ser visto pastando.

Na carta da Rainha de Ouros, deparamo-nos com a dimensão receptiva, estável e sensual do elemento Terra. Ela é representada pela figura mitológica da Rainha Ônfale, cujo nome significa "umbigo". Ela aparece no ciclo de histórias que se referem ao herói Héracles que, em uma fase pior de sua carreira, foi levado para a Ásia para ser vendido como escravo — um Héracles bem diferente daquele com o qual nos deparamos na carta da Força dos Arcanos Maiores. Ele foi comprado por Ônfale, rainha da Lídia, uma mulher que tinha bons olhos para um bom negócio; e ele a serviu fielmente durante três anos, livrando a Ásia Menor dos bandidos que infestavam aquela terra.

Ônfale havia herdado o reinado de seu falecido marido e o governava com capacidade, graças ao seu caráter pragmático e poderoso. Ela comprou Héracles com o intuito de torná-lo seu amante, em vez de um lutador, e lhe deu três filhos. Ela aproveitava o máximo de seu tempo, com toda a indulgência com o herói. Informações chegaram à Grécia de que Héracles havia desistido de sua pele de leão, trocando-a por colares de pedras preciosas, braceletes de ouro, turbante de mulher, xale vermelho e um cinto de mulher. Conta também a história que ele ali ficava sentado fiando lã e tremendo quando a sua patroa o repreendia. Ele deixava que as escravas de Ônfale o penteassem e que pintassem suas unhas, enquanto ela vestia a sua pele de leão e carregava o seu cajado e o seu arco.

Certo dia, o casal visitava algumas vinhas e o deus Pan, com o qual já nos deparamos na carta do Diabo dos Arcanos Maiores, viu-os e apaixonou-se por Ônfale. O deus, metade bode, deu adeus às suas ninfas e declarou amor eterno à rainha da Lídia. Quando o casal se retirou para uma caverna para passar a noite, Ônfale sugeriu que trocassem de roupa. À meia-noite, Pan entrou na gruta, encontrou alguém com as roupas que acreditava fossem da rainha e tentou atacar quem veio a ser um furioso Héracles. O herói chutou Pan pela caverna toda e, depois, ele e Ônfale riram até chorar vendo o deus Pan, sentado em um canto, cuidando de suas feridas. Daquele dia em diante, Pan passou a odiar vestidos e sempre convoca os seus oficiais nus para os seus rituais.

Ônfale, a Rainha de Ouros, é a imagem do poder e da sensualidade feminina que pode escravizar até um bruto selvagem como Héracles. Em um sentido, ela representa a sensualidade do próprio corpo — dali o seu nome, pois os gregos acreditavam que o centro da paixão estava no umbigo —, que está presente tanto no homem quanto na mulher. Isso não é simplesmente o desejo por satisfação física, mas uma força primordial que possui dignidade e poder. Ao servir a Rainha Ônfale, Héracles passa por uma espécie de iniciação — e nós também, ao nos depararmos com a Rainha de Ouros dentro de nós mesmos, devemos curvar-nos diante do poder dos instintos e reconhecer que até a mente mais privilegiada e a espiritualidade mais rara existem em um corpo feito de terra.

Entretanto, Ônfale não é simplesmente uma sensualista. Ela é uma governante em seu próprio direito, preparada para ser generosa, mas sempre pragmática e protetora de sua própria riqueza e território. A sua compra do herói como amante não foi realizada por falta de outros amantes, mas porque ela queria o melhor. Dessa maneira, ela também pode ser interpretada como a imagem da autoestima, porque Ônfale trata de si e de seu corpo da mesma forma que trata o seu reino, com pródigo cuidado e generosidade. Ela possui a resistência e a estabilidade da própria terra e, apesar do fato de que a sensualidade por si só não pode preencher uma vida, Ônfale é uma imagem de grande importância e valor.

No sentido interior, quando a Rainha de Ouros aparece em uma abertura de cartas, é chegado o tempo para o indivíduo aprender a respeito de toda a expressão de sua própria sensualidade, do valor do corpo e da importância daqueles prazeres que preservam e enriquecem a vida. O indivíduo também pode ser chamado para aprender a sustentar e a preservar recursos materiais, manter condições estáveis e assegurar e acumular dinheiro e energia. A Rainha de Ouros pode entrar em nossa vida como uma mulher forte e sensual, autossuficiente e trabalhadora e, no entanto, generosa e disposta a entregar-se aos desejos próprios ou de outros, se isso fizer parte de seus propósitos. Mas, se essa mulher entrar em nossa vida, sugere que essas qualidades tentam emergir de dentro de nós mesmos.

O Rei de Ouros

A carta do Rei de Ouros retrata um homem de tez morena, barba e cabelos castanhos, forte e obviamente satisfeito com sua poderosa posição na vida. Ele está sentado em um trono dourado cujos braços estão entalhados com cabeças de bodes. Atrás dele, um castelo fortificado em alvenaria e enfeitado com cachos de uva. Na frente do castelo, os seus serviçais prontos para atendê-lo. Em suas mãos, um pentáculo dourado e, aos seus pés, um monte de moedas de ouro – pequenos pentáculos representando o seu acúmulo de bens materiais.
Ele está ricamente, mas sobriamente vestido com brocado dourado e porta uma coroa dourada na cabeça. Na grama ao seu lado, um bode pastando.

Na carta do Rei de Ouros, deparamo-nos com a dimensão ativa e dinâmica do elemento Terra. Ela é representada pelo mitológico rei Midas, o rei da Macedônia, amante dos prazeres. Em sua infância, uma procissão de formigas foi observada carregando grãos de trigo e, subindo pelo lado de seu berço, colocavam os grãos em seus lábios enquanto dormia — um prodígio que os adivinhos interpretaram como um presságio de grande riqueza em seu futuro.

Midas governou como um rei sábio e piedoso, e a sua bondade para com o embriagado sátiro Silenos, tutor do deus Dioniso, valeu-lhe a gratidão do imprevisível deus. Dioniso ofereceu a Midas conceder-lhe um desejo, ao qual respondeu sem hesitar: "Peço que tudo o que eu toque se torne ouro". O rei logo se arrependeu dessa imprudência, pois não somente as pedras, as flores e os móveis de sua casa se transformavam em ouro, como também o alimento que comia e a água que bebia. Midas logo pediu que fosse liberado de seu pedido porque estava rapidamente morrendo de fome e de sede. Apesar de se divertir com o ocorrido, Dioniso teve compaixão e disse a Midas para visitar a fonte do rio Pactolo, na qual Midas se banhou e imediatamente se livrou de seu toque de ouro, mas as areias desse rio têm o brilho do ouro até hoje.

Midas, o Rei de Ouros, é a imagem da ambição humana. Ele é a nossa aspiração ao *status* e à realização material, o nosso desejo por poder e reconhecimento aos olhos do público, a nossa necessidade por segurança material e o nosso orgulho pelo trabalho empreendido para conseguir o que possuímos. Essa ambição também é o espírito dinâmico, pois não se trata da satisfação do conforto, mas da necessidade de desafios. Nesse mito, Midas faz por merecer a recompensa do deus Dioniso com seu ato de bondade, a sua consideração pelo velho sátiro embriagado que era desprezado e ridicularizado por todos. Isso aponta para uma importante verdade a respeito do sucesso material: ele não somente depende de trabalho árduo e de inteligência, mas também do reconhecimento e da compreensão daqueles aspectos do comportamento humano que são preguiçosos, indolentes, embriagados e bestiais. Somente por meio da tolerância e do controle desses aspectos, retratados pelo velho sátiro, é que os fundamentos do poder e da autoridade do mundo podem ser assegurados, pois, do contrário, o indivíduo pode ser corrompido simplesmente porque ele não tem consciência de seu próprio potencial de corrupção.

O NAIPE DE OUROS

O Rei de Ouros conseguiu chegar ao topo por causa das suas qualidades de liderança, autoridade, realismo e disciplina que fizeram com que superasse os obstáculos em seu caminho. Mas, como sugere o mito, ele também deve aprender uma lição difícil a respeito de sua própria ganância. Midas já possui o suficiente e muito mais; ele é um rei poderoso e rico além de que seus trajes não são exatamente maltrapilhos, ele anda trajado de acordo. Ele tem o direito de ser ambicioso, mas essa ambição não deve ser colocada acima de tudo ou morrerá de fome e de sede. Havendo aprendido essa lição, o rei agora se satisfaz com as compensações que já conseguiu. Ele é um materialista descarado e, quando encontramos essa figura em nós mesmos, deparamo-nos com o nosso próprio materialismo, mesmo que anteriormente acreditássemos ser idealistas abominando essa espécie de grosseria. Esse rei é saudável e forte, apesar de que, como em todas as cartas do Tarô, não podemos ficar presos em uma única faceta da vida, e o encontro com a ambição material e com seus desafios e compensações ainda pode ser produtivo e curador — mesmo que isso signifique que devamos, de alguma forma, experimentar a dura lição de Midas.

No sentido divinatório, quando o Rei de Ouros aparece em uma abertura de cartas, ele anuncia que chegou o tempo de o indivíduo enfrentar os desafios materiais. Mas movimentos interiores muitas vezes precisam de um catalisador e, portanto, o Rei de Ouros pode entrar em nossa vida na forma de um indivíduo materialista, forte e bem-sucedido — alguém que tenha o "toque de Midas", o dom de manifestar ideias materiais criativas. Entretanto, esse indivíduo é um simples catalisador para o desenvolvimento material de nossa própria autoconfiança.

LENDO AS CARTAS

O Que o Tarô Pode e Não Pode Fazer

O Tarô não pode prever um futuro fixo e determinado. Suas cartas são uma série de imagens que descrevem as qualidades do momento em que um indivíduo as consulta com um problema particular ou uma situação em mente. Naturalmente, os gregos tinham uma palavra para isso — *kairos*, que significa "o momento certo" e descreve a ideia de que todo momento possui características e qualidades peculiares e únicas. Devemos deixar de lado a nossa típica visão do mundo ocidental moderno para poder compreender a função real das cartas do Tarô e olhar para a antiga Filosofia e para as crenças orientais as quais não consideram o tempo em termos de quantidade (um momento é uma medida que equivale a 1/16 de uma hora), mas em termos de qualidade (um momento é algo vivo que possui a sua própria identidade e significado). Visto através das lentes dessa visão do mundo, a vida possui uma ligação ou um relacionamento subjacente e secreto, e todos os níveis de vida, animada e inanimada, consciente e inconsciente, interior e exterior, são realmente parte de um todo vivo. Portanto, a vida refletirá, em todos os níveis de sua existência, as mesmas qualidades em um determinado momento de tempo. Dessa maneira, os antigos métodos de adivinhação como Astrologia, Tarô e I Ching* não procuram "prever" um futuro que "já está escrito", mas, ao contrário, preocupam-se em como as verdadeiras qualidades internas e o significado do momento podem ser refletidos e, portanto, decodificados por meio de formas simbólicas como planetas, moedas ou cartas.

Esse é um conceito difícil para a mente ocidental compreender, mas, se tentarmos, ele nos ajudará a esclarecer um problema de má interpretação entre os estudiosos de Tarô. O momento não somente

---

*N.E.: Sugerimos a leitura de *I Ching — A Mais Bela Aventura da Humanidade*, de Paulo Barroso Junior *e I Ching — O Livro das Mutações*, de Richard Lewis, ambos Madras Editora.

possui qualidades particulares, mas tem um passado e um futuro que pertencem a um contexto geral dessas qualidades. Existem situações e escolhas no passado que levaram até aquele momento e das quais esse momento é a consequência; e existem situações e escolhas no futuro que surgem diretamente de nossa resposta para aquele momento que, por sua vez, são afetadas por nossas escolhas atuais. Portanto, faz sentido compreender tudo o que podemos a respeito de como nós mesmos chegamos a uma determinada situação, pois esse entendimento afetará, por sua vez, a maneira como corresponderemos à vida e, por conseguinte, ao "momento" seguinte que nos é reservado. Nas situações e escolhas que pertencem a um determinado momento, paira um particular significado arquetípico, pois não há nada que façamos ou experimentemos antes, e é esse significado arquetípico que as cartas do Tarô podem revelar.

O passado, o presente e o futuro implicados na leitura de uma carta de Tarô em particular tendem a envolver um período de aproximadamente seis meses. E, assim, o "momento" que estivermos considerando é um período de tempo; o passado — as escolhas, os motivos e as experiências que levaram ao momento; o presente —, quando as cartas são consultadas; e o futuro — que é a consequência natural das forças agindo no presente. As cartas não descrevem ocorrências concretas de uma maneira "fadada", mas sim ilustram influências, oportunidades e motivos ocultos — alguns dos quais podem ou não se realizar em eventos externos ou pessoas — que o indivíduo pode então tentar entender e trabalhar da maneira mais criativa possível. Como se trata da qualidade do momento, procurando penetrar o seu sentido mais profundo, o indivíduo poderá influenciar de forma mais consciente o futuro daquele momento, afetando com maior percepção aquele que está se desenrolando.

Nesse sentido, criamos os nossos destinos, ou melhor, o que somos molda o destino dos nossos futuros. Para os gregos, o destino não era uma diversidade de eventos aleatórios ou caprichosos que aconteciam para uma pessoa, mas uma rede extensa e infinita de escolhas, respostas e consequências estendendo-se pelo tempo, de volta para o passado e à frente no futuro, a maioria das quais permanecia inconsciente, a menos que o indivíduo procurasse promover uma percepção mais profunda em sua vida.

Como o "destino" que as cartas de Tarô descrevem está amplamente enraizado no inconsciente, normalmente nós não temos acesso a ele. Mas as imagens das cartas de Tarô podem ajudar-nos a fazer uma conexão e, portanto, as cartas refletem um conhecimento *a priori* do inconsciente que possui a chave secreta para o significado do momento e, por conseguinte, conhece o provável efeito futuro daquele momento. Pela abertura das cartas de Tarô, podemos receber ajuda na leitura dos complexos padrões e movimentos do inconsciente, e esse novo relacionamento entre o ego consciente e o mundo interior oculto permite que levemos ao momento — e, portanto, à nossa situação do momento — uma percepção mais profunda e maiores possibilidades de resposta e de escolha.

Estabelecendo um Relacionamento com as Cartas

Como as imagens das cartas de Tarô são muito antigas e tão profundamente ligadas aos mais íntimos padrões do desenvolvimento humano, elas merecem todo o respeito. Elas não são um brinquedo, mas em um certo sentido são imagens sagradas, não porque sejam "sobrenaturais", mas porque, como peças de grande arte e de literatura, refletem os nossos mais profundos conflitos, necessidades e aspirações. O indivíduo que deseja aprender a trabalhar e verificar o potencial criativo das cartas precisa cultivar uma atitude de respeito para com a dimensão arquetípica da vida que representam e que, na vida cotidiana, se converte no respeito ao mundo simbólico do qual as próprias cartas são uma representação. O leitor inteligente então procura estabelecer uma espécie de "relacionamento" com as cartas, estabelecendo um lugar especial e procurando não fazer com que sejam consideradas cartas de entretenimento vulgar nem permitindo que se sujem ou que sejam negligenciadas e descuidadas.

Por esse motivo, muitos leitores profissionais mantêm suas cartas de Tarô envolvidas em um lenço especial e em um lugar especial quando não são usadas. Esse lenço é a maneira de ajudar o estudioso a começar a desenvolver um relacionamento respeitoso com as cartas.

Tradicionalmente, as cartas de Tarô eram envoltas em um lenço de seda preto pois essa é uma cor neutra que afasta possíveis "vibrações" — tanto positivas quanto negativas — das próprias cartas. Quer seja verdade ou não, a importância de um ritual no uso das cartas precisa ser reconhecido, pois, em nível psicológico, o ritual afina as nossas mentes e permite que a intuição entre em ação.

Tal como em um ritual religioso, o ritual de manter as cartas em um lugar especial e envolvê-las em seu lenço especial pode se transformar em um importante foco de concentração — quer ou não acreditemos em "vibrações". É o símbolo do lugar único e prestigiado que dedicamos às cartas e a importância que relegamos às suas imagens.

Preparando a Disposição de uma Abertura

O processo de selecionar um pequeno número de cartas de um baralho inteiro de Tarô de 78 cartas e dispô-las em um padrão a ser interpretado é chamado de "abertura de um jogo". A ideia básica é que o baralho, como já vimos, contém uma descrição figurativa de uma complexa jornada completa da vida e, ao selecionar um número mínimo de cartas — geralmente dez —, o consulente de forma simbólica reflete a sua passagem por uma parte específica daquela jornada no momento presente. Em outras palavras, a situação imediata, suas origens e o provável resultado que será refletido nessa pequena parte do baralho completo.

Existem vários e diferentes tipos de aberturas, e pessoas diferentes desenvolveram seus padrões favoritos durante muitos séculos. O

LENDO AS CARTAS

estudioso pode referir-se à relação na bibliografia para uma melhor descrição das diversas aberturas usadas no Tarô.

A específica abertura que ilustraremos aqui é uma das mais antigas e mais populares, e é conhecida como a Cruz Celta. Essa abertura contém seleções dos dois grupos de arcanos, os Maiores e os Menores, para que o indivíduo faça a sua escolha do baralho inteiro. Portanto, a seleção reflete a vida no nível arquetípico mais profundo e no nível mais cotidiano.

Como mencionamos anteriormente, não fazemos uso da técnica das cartas invertidas porque cada carta contém em si mesma a sua dimensão luz e a sua dimensão sombra; e isso pode ser determinado pela posição da carta em sua abertura geral.

O consulente — a pessoa que deseja consultar as cartas — deve ter uma pergunta preparada, mesmo que seja vaga e difícil de formular. O leitor não precisa conhecer a pergunta, mas o consulente sim, porque no nível inconsciente as cartas selecionadas refletirão essa pergunta.

O leitor mistura bem as cartas e então abre o baralho em uma meia-lua sobre a mesa com as faces para baixo.

O consulente é convidado a selecionar dez cartas. Por estarem com a face para baixo, ele não pode saber as cartas que escolheu.

O leitor então pega as cartas na ordem selecionada, ainda viradas para baixo, e as coloca em suas posições corretas, conforme a indicação a seguir. A primeira carta selecionada deve ser colocada na posição 1, e assim por diante.

Agora o leitor pode desvirar as cartas começando pela posição 1, expondo assim as dez cartas.

LENDO AS CARTAS

A Leitura das Cartas

Foram dados nomes tradicionais às dez posições das cartas da Cruz Celta para ajudar-nos a compreender seus significados. Cada posição descreve uma área específica da vida na qual uma certa influência e situação interior ou exterior estejam ocorrendo. Agora explicaremos as dez posições e o que elas significam.

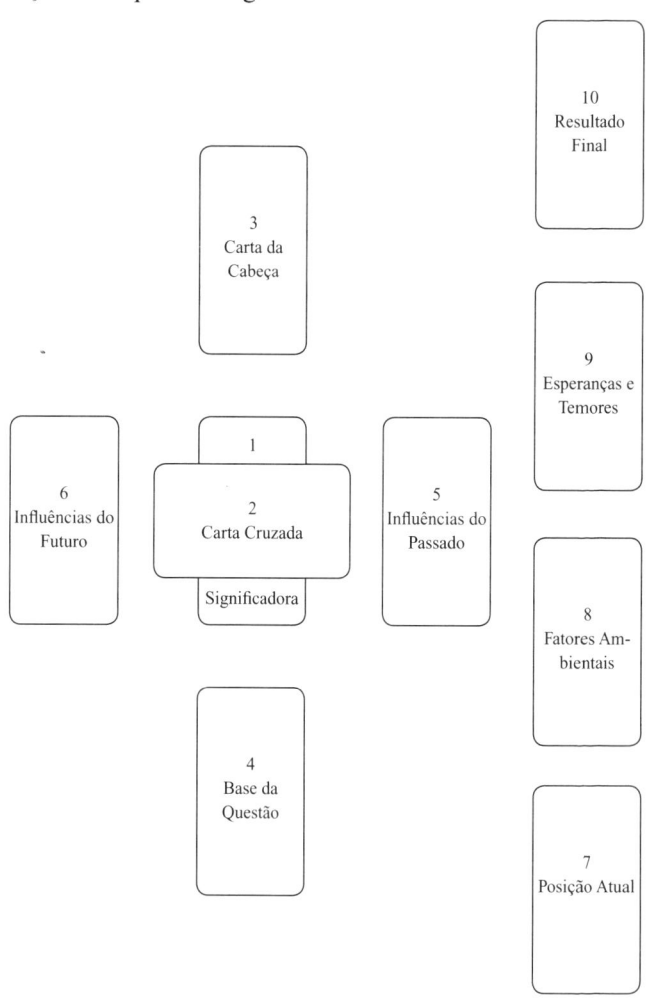

```
                                        10
                                     Resultado
                                       Final

              3
           Carta da
            Cabeça
                                         9
                                    Esperanças e
                                      Temores
                     1
      6              2            5
  Influências do  Carta Cruzada  Influências do
     Futuro                         Passado
                 Significadora           8
                                    Fatores Am-
                                      bientais
              4
            Base da
            Questão
                                         7
                                    Posição Atual
```

LENDO AS CARTAS

POSIÇÃO 1 — Às vezes é chamada de Carta de Cobertura e outras vezes de Significadora. Usaremos o termo Significadora porque a carta selecionada para essa posição refletirá a situação interior e exterior na qual o indivíduo se encontra no momento presente.

POSIÇÃO 2 — É chamada de Carta Cruzada e descreve essa situação interior e exterior que gera conflito e obstrução no presente imediato. Trata-se do que está "cruzando" o caminho do consulente e indica a natureza aparente do problema. Entretanto, a Carta Cruzada não é necessariamente negativa, mas simplesmente representa a situação que está gerando o conflito e revolvendo as coisas. Em um certo sentido, ela impede a Significadora de expressar-se totalmente, causando um bloqueio na vida.

POSIÇÃO 3 — É chamada de Carta da Cabeça. Ela é aparente simplesmente porque a sua aparência visual — pairando diretamente sobre a Significadora — nessa posição descreve o ambiente e a situação que pairam sobre o consulente no presente imediato. Tudo o que está na cabeça de alguma coisa é aparente à visão de todos e, portanto, a carta que aparece nessa posição reflete o que é externo, na superfície, e imediatamente aparente na vida do consulente.

POSIÇÃO 4 — É chamada de Base da Questão. Ela descreve a situação interior e exterior, o impulso, o instinto ou a aspiração que provoca a aparente situação superficial da Carta da Cabeça. O que está na base é, na realidade, o que está na raiz da psique e muitas vezes essa carta surge como surpresa para o consulente, que pode não estar a par de uma motivação inconsciente que precisa ser levada para a consciência. Nem sempre agimos ou sentimos coisas de acordo com o nosso pensamento, e a carta que aparece na Base da Questão muitas vezes poderá contradizer o motivo aparente do nosso dilema no momento em que consultamos as cartas.

POSIÇÃO 5 — É chamada de Influências do Passado. A carta que aparece nessa posição descreve a situação interior e exterior que agora está acabando de passar pela vida do consulente. No passado, ela foi importante, pois pode ter representado um conjunto de valores que o indivíduo tinha em alta estima; mas agora ela perdeu a sua potência e o consulente precisa ser capaz de soltar tudo o que essa carta representa antes que os novos e futuros desenvolvimentos possam ser integrados criativamente na vida.

POSIÇÃO 6 — É chamada de Influências do Futuro. A carta que aparece nessa posição descreve a situação interior e exterior que está por manifestar-se na vida do consulente. Não se trata de um prognóstico duradouro de um resultado final, mas de uma descrição das correntes agindo no presente imediato.

POSIÇÃO 7 — É chamada de Posição Atual e é uma espécie de extensão futura da Posição 1, a Significadora. A carta que aparece nessa posição descreve a atitude ou estado interno de negócios no qual o consulente logo se encontrará. Essa carta, tal como a Significadora, descreve um conjunto de atitudes ou de qualidades, e muitas vezes apresentará o que precisa ser desenvolvido, assim como o que provavelmente virá a acontecer.

POSIÇÃO 8 — É chamada de Fatores Ambientais e descreve a imagem daquelas pessoas que nos cercam — amigos e familiares — e que estão envolvidas em nossa situação e conosco mesmos. A carta que aparece nessa posição geralmente implica que tipo de resposta à nossa situação é possível esperar de outras pessoas, assim como o que nós mesmos fizemos inconscientemente para projetar essa espécie de imagem para o mundo exterior. Muitas vezes, um indivíduo passando por problemas de um tipo ou de outro não é compreendido pelos amigos e pelos entes queridos como ele esperava que fosse, e a carta na Posição Oito pode frequentemente nos dizer o porquê, pois essa é a visão que o mundo tem de nós e pode contradizer a forma de como nos sentimos tão facilmente quanto refletir honestamente a nossa situação.

POSIÇÃO 9 — É chamada de Esperanças e Temores. Tanto as esperanças quanto os temores podem ser descritos por uma carta, pois todas as cartas do Tarô são ambivalentes.

POSIÇÃO 10 — É chamada de Resultado Final. Aqui, a palavra "final" pode ser mal-interpretada, pois nada é absolutamente final, conforme vimos na jornada do Louco; e a carta que aparece nessa posição não descreve uma situação de permanência duradoura, mas uma situação que é o surgimento natural do que estamos passando no momento. Como já dissemos, esse "resultado final" pode cobrir um período de aproximadamente seis meses.

Podemos agora nos voltar para dois exemplos de abertura de jogo a fim de explorar com maiores detalhes a maneira de como ler as cartas.

LENDO AS CARTAS

Dois Exemplos de Abertura de Jogos

O primeiro exemplo que ilustraremos para a leitura das cartas é o de uma mulher de 28 anos que queria consultar as cartas a respeito de problemas em seu casamento e em seu trabalho. Ela e o marido estavam casados há um bom tempo, mas não conseguiam ter filhos. Eles moravam em um apartamento em Londres e os dois trabalhavam o dia todo. Essa mulher, que chamaremos de Célia, era editora de moda de uma revista popular feminina, enquanto seu marido trabalhava como contador. Os dois não estavam satisfeitos com sua vida em um apartamento da cidade e haviam comentado sobre a possibilidade de se mudarem para o interior, em parte por causa da monotonia de seus trabalhos e também pelo fato de que o casamento tinha chegado a um estado de estagnação. Certamente havia necessidade de uma mudança, mas Célia estava confusa sobre o que fazer, pois, apesar de o marido falar em se dedicar a uma atividade de paisagismo no interior, ela mesma não tinha uma ideia clara sobre que espécie de trabalho poderia ser-lhe conveniente e possível longe da nervosa metrópole na qual estava acostumada e onde poderia realizar o seu potencial criativo.

Essa situação apresenta a imagem de uma pessoa em uma encruzilhada, sem saber qual direção tomar para o seu futuro e cheia de ansiedade a respeito do estado de sua vida pessoal e, no entanto, disposta a assumir um compromisso para com o futuro, se pudesse encontrar um sentido de qual caminho empreender.

LENDO AS CARTAS

Célia selecionou dez cartas que consistiam da seguinte abertura:

A JUSTIÇA aparecendo como Significadora sugere que ela precisa — e está começando a — parar para pensar clara, fria e racionalmente a respeito de seu problema. Por se tratar de uma carta dos Arcanos Maiores representada pela severa imagem da deusa Atena, a implicação é que desenvolver a capacidade de uma reflexão impessoal é importante não somente para a situação imediata, mas também é uma qualidade que não foi bem desenvolvida em Célia no passado e que agora aparece como essencialmente necessária para que ela se integre em sua personalidade para o futuro. Consultar as cartas é, de certa forma, o início dessa reflexão impessoal.

O NOVE DE PAUS aparecendo na Carta Cruzada sugere que Célia teve de enfrentar uma série de conflitos e obstáculos em suas esperanças e desejos para o futuro, e agora está exausta e incerta quanto à sua força no enfrentamento de outras crises para alcançar a sua visão de uma vida melhor. Entretanto, essa carta também implica que, caso tentasse, ela encontraria disponível uma reserva necessária de forças para atravessar a tempestade. Essa carta retrata o navio de Jasão, o Argo, atravessando o difícil estreito entre Cila e Caríbdes, antes de chegar em casa com segurança; e aqui a implicação é que Célia tem somente um último esforço a fazer para encontrar o que está procurando.

O OITO DE COPAS aparecendo como Carta da Cabeça sugere que um sentido de decepção emocional esteja dificultando a visão de Célia quanto às suas possibilidades. O Oito de Copas retrata Psiquê abandonando qualquer esperança de reconciliação com Eros e descendo desesperada para o Submundo; e aqui a implicação é que Célia possa ter fantasiado e esperado demais de seu casamento, que provou ser impraticável. Além disso, ela ainda sofre de um sentido de decepção e de desespero a respeito do futuro do relacionamento.

O SOL aparecendo na Base da Questão simboliza o ardente desejo de Célia pela criativa expressão individual, bem como por um significado em sua vida. Nesse momento, isso é frustrado, o que pode representar o motivo pelo qual ela esteja insatisfeita e talvez por que, no passado, ela esperasse tanto de seu marido e de seu casamento. O Sol expressa algo importante, promissor e otimista a respeito do caráter de Célia além da crise atual, no sentido de que ela precisa brilhar por direito próprio e ser reconhecida como pessoa criativa.

O DEZ DE OUROS aparecendo nessa posição de Influências Passadas sugere que a preocupação de Célia quanto à segurança material deve ser liberada, caso ela queira realmente se realizar no futuro. Essa carta retrata o artesão Dédalo, rico e realizado, encabeçando uma feliz dinastia para quem ele pode transferir a sua riqueza. A satisfação financeira e a "respeitabilidade" retratadas nessa imagem foram muito importantes para Célia no passado, mas ela precisa aprender a colocar menos valor nessas coisas para poder satisfazer a sua necessidade pela criativa expressão individual.

O REI DE COPAS aparecendo nessa posição de Influências Futuras sugere que logo uma nova direção será aberta, seja por meio de um indivíduo (talvez um professor ou alguém interessado em assuntos como o aconselhamento) ou por meio de uma terapia. O próprio espírito masculino de Célia parece tender muito mais para um mundo introvertido e interiorizado de interesse. A presença de uma Carta da Corte nesse lugar sugere que uma pessoa poderá ser o catalisador para esses novos interesses em desenvolvimento; mas, se essa pessoa entrar de fato na vida de Célia, será porque ela mesma está indo ao encontro de um ambiente de interesse totalmente novo.

O PAJEM DE ESPADAS aparecendo nessa Posição Atual sugere que Célia pode encontrar-se em um estado mental confuso e irritadiço. Todos os Pajens dos Arcanos Menores implicam o início de alguma nova qualidade ou direção e aqui, refletida pelo naipe de Espadas, está a qualidade do intelecto em desenvolvimento; e Célia está começando a questionar pontos de vista que anteriormente mantinha ocultos e a ficar intelectualmente irrequieta e precisando de uma nova linha de estudo ou de desenvolvimento. Por conseguinte, inicialmente ela pode ser agressiva e sujeita a comentários alheios — aqueles amigos e entes queridos que não conseguem entender por que ela está mudando e ficam ressentidos com o seu progresso que eles mesmos não podem ter. Ela pode ficar na defensiva e provocar brigas, porque ainda não desenvolveu a percepção e a confiança para perseguir sinceramente os novos valores que estão surgindo.

O IMPERADOR aparecendo na posiç o de Fatores Ambientais sugere que, para as outras pessoas, Célia parece ter sucesso, poder e estar em controle de sua situaç o e, portanto, a sua insatisfaç o pode n o encontrar eco em seu ambiente. Exteriormente, ela parece ter tudo de que precisa – um bom casamento, um lindo apartamento, um bom emprego, posiç o, prestígio e poder. A sua frustraç o e falta de realizaç o n o s o percebidas pelo mundo exterior que, ao contrário, interpreta o lado positivo da carta do Arcano Maior que envolve poder e uma boa posiç o na sociedade. É possível que a própria Célia tentasse inconscientemente projetar essa imagem e, como Zeus, o Imperador é a imagem do pai arquetípico, talvez fosse para agradar ao seu pai que ela criara essa *persona* para os outros.

O MUNDO aparecendo na posição de Esperanças e Temores sugere que Célia esteja sendo levada por uma necessidade arquetípica de integração e queira tornar-se uma pessoa completa. Ela não está à procura de compensações materiais, mas de um sentido de estar completa — uma pessoa que usa tudo de si mesma em resposta à vida. Portanto, suas ambições e expectativas são muito altas e surgem de uma raiz profunda, não necessariamente identificável em termos materiais. Ao mesmo tempo, o medo de tornar-se completa reflete a ansiedade de que esse estado não lhe permitirá espaço para o seu casamento; uma mulher que possa expressar tanto o lado masculino quanto o feminino muitas vezes ameaça o homem de sua vida. Assim, Célia quer tudo e, ao mesmo tempo, está apavorada.

LENDO AS CARTAS

A TEMPERANÇA na posição do Resultado Final sugere que a direção que Célia está empreendendo é um bom prenúncio para a possibilidade de um relacionamento equilibrado no qual há algum comprometimento e alguma troca genuína de sentimento. Essa carta dos Arcanos Maiores que retrata Íris, a deusa do arco-íris, implica que uma importante mudança é provocada na psique de Célia, pela qual a sua capacidade de funcionar em um relacionamento se desenvolverá em uma expressão mais compassiva e humana, livre de muitas das rígidas expectativas que são características do passado e a fonte de muitos de seus problemas com o marido. Por conseguinte, essa carta promissora e alentadora resume uma mudança de direção na vida de Célia.

O segundo exemplo que a seguir apresentaremos ilustra um homem de 45 anos de idade, médico de profissão, que recentemente se separara de sua esposa e filhos para emigrar da Austrália para a Inglaterra. Esse homem, que chamaremos de Alan, queria seguir um interesse em curas alternativas com a ideia de ser treinado em acupuntura ou homeopatia e estabelecer um negócio em Londres, utilizando seus conhecimentos tanto ortodoxos quanto heterodoxos. Ele estava muito confuso e ainda em grande conflito pela separação de sua família, apesar de considerar, em seu íntimo, que havia tomado a decisão correta. Entretanto, ele estava sujeito a fortes depressões e sentimentos de tristeza e de solidão, apesar de a separação ter sido amigável e outra mulher ter entrado em sua vida. Ele queria saber se profissionalmente estava no caminho certo, bem como se ele conseguiria sair desse perturbador estado emocional, dando uma oportunidade ao seu novo relacionamento.

Alan selecionou dez cartas que consistiam na seguinte abertura:

O ÁS DE OUROS sugere que Alan dispõe de muita energia, tanto no mundo interior quanto no mundo exterior, para um novo esforço em construir algo sólido em sua vida. Como essa carta implica recursos e possivelmente dinheiro disponível ao indivíduo para um novo projeto, ela é positiva quanto ao desejo de Alan em seguir a medicina alternativa, pois parece possível que encontrará apoio material e pessoal. O Ás de Ouros, representado pelo poderoso deus Poseidon, é o prenúncio promissor e afirmativo da nova direção que Alan escolheu assumir em sua vida.

O SETE DE PAUS sugere que o problema central de Alan é o conflito que ele inevitavelmente enfrentará com oponentes em sua profissão. Essa é a carta da "rígida concorrência", representada por Jasão lutando com o rei Aetes pela posse do Velocino de Ouro. Isso implica que Alan terá de estar preparado para deparar-se com os seus colegas, seja porque outros queiram o lugar que ele almeja, seja porque ele poderia contrariar aqueles de sua profissão que são mais conservadores e fechados para novos métodos de cura. Esse conflito também pode refletir uma luta interior em Alan — entre a sua nova visão intuitiva, simbolizada pelo fogoso herói Jasão, e a "velha ordem" conservadora, simbolizada pelo rei Aetes, que por primeiro possuiu o Velocino. Portanto, Alan precisará estar preparado para uma oposição dentro de si mesmo, assim como exteriormente, pois esse é o problema que "cruza" o poderoso impulso para iniciar uma nova vida.

A MORTE aparecendo na posição da Carta da Cabeça reflete o estado de depressão e de infelicidade no qual Alan se encontra atualmente. Essa é uma carta dos Arcanos Maiores sugerindo que Alan está experimentando uma dimensão arquetípica da vida — a tristeza e o luto que sobrevêm sempre que um capítulo da vida é encerrado e o indivíduo deve deixar para trás o passado e seguir adiante nu e incerto para o seu futuro. A presença dessa carta também insinua que Alan pode não ter passado tempo suficiente lamentando a sua perda. A separação de uma família não é um assunto simples e, apesar de ele pensar ter tomado a decisão certa, o passado precisa ser respeitado e lamentado.

A RAINHA DE OUROS implica a presença de uma mulher na vida de Alan que, de alguma forma, pode ser um catalisador para a nova direção que ele quer seguir. Esse novo relacionamento envolvia uma mulher forte e financeiramente independente, divorciada e disposta a oferecer-lhe o apoio emocional e o incentivo que ele precisava nessa fase vulnerável de sua vida. Ela também poderia representar o desenvolvimento de maior sensualidade dentro do próprio Alan.

O QUATRO DE ESPADAS sugere que Alan acabava de passar por um período de retiro e de reflexão, angariando força para enfrentar os desafios que se pronunciam à sua frente. Mas esse período está terminando e logo ele poderá seguir adiante na vida.

O REI DE COPAS sugere a mesma interpretação do caso de Célia — que Alan está sendo atraído pelo mundo interno do mundo dos sentimentos e da psique, e que o seu interesse pela cura alternativa pode muito bem incluir uma investigação mais profunda na Psicologia, além dos métodos de cura que ele pretende seguir. Um homem pode entrar na vida de Alan como um catalisador para essa linha de interesse em desenvolvimento — talvez um amigo que esteja envolvido nesses assuntos ou um professor, ou ainda um terapeuta. Mas essa também é a imagem do que o próprio Alan está se tornando — pois ele se aproxima mais do reino interior, tendo deixado para trás não somente o seu passado pessoal, mas também a sua dedicação pela cura do corpo sem se preocupar com a alma.

O SOL sugere que Alan provavelmente experimentará um momento de grande esperança e otimismo, porque começa a se ligar a um arquetípico princípio de significado. Essa carta dos Arcanos Maiores é representada por Apolo que, entre outros atributos, era o deus da cura; e isso indica que, ao optar por uma exploração mais profunda do significado da cura, Alan estabelecerá uma relação com a profunda capacidade de recuperação e com a criatividade do espírito humano que provará ser essencial não somente para o seu futuro trabalho, mas também para a sua própria cura.

O ENFORCADO sugere que, aos olhos do mundo, Alan fez um grande sacrifício em troca de um futuro desconhecido e incerto. Essa carta dos Arcanos Maiores representada por Prometeu, que roubou o fogo dos deuses para entregá-lo aos homens, significa a desistência de algo de valor na esperança de que algo melhor, mais significativo e mais compensador possa substituí-lo. Mas o futuro é cheio de incertezas e é a própria incerteza que aqueles que cercam Alan percebem. Isso também combina com o que Alan sente, embora a posição do Sol sugira que ele também tem uma profunda convicção do sentido de seu caminho — que aqueles ao seu redor não podem enxergar ou compreender imediatamente.

O DOIS DE OUROS sugere que Alan tem por objetivo o desenvolvimento de novas habilidades. Ele pode passar por um período de instabilidade financeira, forçando-o a empenhar tempo, energia e recursos para fazer com que as coisas funcionem; e ele parece estar ansioso a respeito, o que é refletido na instabilidade da carta na posição de Temores, assim como de Esperanças. Mas essa carta dos Arcanos Menores não é uma carta de perda. Ela retrata Dédalo em sua oficina no início de sua carreira, desenvolvendo suas habilidades e inventando novas ferramentas. Se Alan estiver disposto a submeter-se a um período de movimento e de mudança em seu *status* e em sua segurança material, provavelmente ele descobrirá que não sofrerá inutilmente, mas surgirá com um conjunto de habilidades que o ajudarão no futuro.

O CINCO DE PAUS na posição do Resultado Final não é uma carta conclusiva, mas reflete a grande luta de Jasão com o dragão para poder conseguir o Velocino de Ouro. Aqui o significado parece indicar que Alan pode encontrar-se em conflito com a coletividade, o que, no sentido de que esta represente a profissão médica, muito provavelmente criará dificuldades para ele — como tende a fazer com a cura alternativa em geral. Ele terá um sério problema em suas mãos e a questão que ele deve se colocar é: "Estou eu à altura desse problema?" Se a resposta for "Sim", então incentivaríamos Alan a continuar a perseguir o interesse escolhido, totalmente consciente de que o seu caminho no mundo exterior não será tão fácil por algum tempo.

Conclusão

Neste capítulo, mostramos como as cartas de Tarô refletem não somente a orientação da vida de um indivíduo no momento em que as cartas são consultadas, mas também as profundas motivações inconscientes do passado que ajudaram a criar a presente situação. Embora sejamos todos indivíduos com personalidade e destino únicos, as experiências que a vida nos oferece não são infinitamente variadas em sua essência, mas somente na forma, pois elas seguem certos padrões antigos arraigados em todos nós e que fazem parte do processo da vida como seres humanos. Esses padrões foram expressos desde tempos imemoriáveis na linguagem dos símbolos — na rica e maravilhosa tapeçaria dos mitos de muitas nações e culturas; nas imagens religiosas que nos inspiram; e nos igualmente ricos e inspiradores desenhos dos grandes sistemas simbólicos como o Tarô. Longe de parecermos somente imitar e repetir os outros, um conhecimento e uma apreciação da jornada do Louco oferecem um sentido de dignidade e de significado aos mais difíceis desafios da vida, pois aprendemos que há beleza, ordem e propósito até nos mais obscuros, mais sórdidos e mais banais acontecimentos de nossas vidas. As imagens mitológicas nos colocam em contato com o infinito mundo interior do inconsciente, que é a maneira de a Psicologia moderna descrever o que certa vez — durante períodos menos racionais e menos científicos — era compreendido como o relacionamento com o divino.

Portanto, as imagens e o sentido do Tarô, que são melhores expressos por meio de mitos antigos que lhe deram origem, não são "sobrenaturais" nem "ocultos", mas profundamente humanos e naturais, e disponíveis a todos nós, se nos empenharmos a olhar e a aprender.

Não há melhor forma de encerrar a nossa descrição da jornada do Louco do que esses versos do grande poeta T. S. Elliot:

E o objetivo dessa nossa jornada
Será alcançar o ponto de onde partimos
E conhecê-lo como um novo início.

MADRAS® Editora
CADASTRO/MALA DIRETA

Envie este cadastro preenchido e passará a receber informações dos nossos lançamentos, nas áreas que determinar.

Nome_____

RG_____CPF_____

Endereço Residencial _____

Bairro _____Cidade_____ Estado_____

CEP_____Fone_____

E-mail _____

Sexo ❏ Fem. ❏ Masc.   Nascimento_____

Profissão _____ Escolaridade (Nível/Curso) _____

Você compra livros:
- ❏ livrarias
- ❏ feiras
- ❏ telefone
- ❏ Sedex livro (reembolso postal mais rápido)
- ❏ outros:_____

Quais os tipos de literatura que você lê:
- ❏ Jurídicos
- ❏ Pedagogia
- ❏ Business
- ❏ Romances/espíritas
- ❏ Esoterismo
- ❏ Psicologia
- ❏ Saúde
- ❏ Espíritas/doutrinas
- ❏ Bruxaria
- ❏ Autoajuda
- ❏ Maçonaria
- ❏ Outros:

Qual a sua opinião a respeito desta obra?_____

_____

Indique amigos que gostariam de receber MALA DIRETA:

Nome_____

Endereço Residencial _____

Bairro _____Cidade_____ CEP _____

Nome do livro adquirido: ***O Tarô Mitológico***

Para receber catálogos, lista de preços e outras informações, escreva para:

MADRAS EDITORA LTDA.
Rua Paulo Gonçalves, 88 – Santana – 02403-020 – São Paulo/SP
Tel.: (11) 2281-5555 — 📱 (11) 98128-7754
www.madras.com.br

MADRAS® *Editora*

Para mais informações sobre a Madras Editora,
sua história no mercado editorial
e seu catálogo de títulos publicados:

Entre e cadastre-se no site:

www.madras.com.br

Para mensagens, parcerias, sugestões e dúvidas, mande-nos um e-mail:

marketing@madras.com.br

SAIBA MAIS

Saiba mais sobre nossos lançamentos,
autores e eventos seguindo-nos no facebook e twitter:

@madrased

/madraseditora